世界のニュースを日本人は何も知らない5

谷本真由美

ワニブックス
|PLUS|新書

はじめに

日本のメディアが取り上げない「世界のニュース」を扱った当シリーズもなんと今回で第5弾となりました。世界にはまだまだ日本の方々が知らないニュースや驚くべき事柄があり、今回の書籍でもかなり割愛しなければならない情報が数多くありました。

とくにロシアとウクライナの戦争に関するネタは膨大にあるのですが、今回はより幅広い情報を取り扱うことにしましたので、取り上げたのはごく一部のトピックだけになっています。もちろんその分、いままでのシリーズでは紹介しなかったようなマニアックなネタも掲載しておりますので、ぜひお楽しみください。

また日本ではまったくといっていいほど報道されないに等しいけれど、極めて重要な事柄として「中国の脅威」があります。

それらを含め、日本人の私がなぜ世界の最新ニュースに熟知しているか――。

私はこれまでインターネットベンチャー、国連専門機関の情報通信官、投資銀行、外資系金融機関などでの勤務経験があり、ＩＴガバナンスや監査、調査などの分野で、日本、アメリカ、イタリア、イギリスで働いてきました。

学部生時代には日本からアメリカ南部の私立大学に留学しています。卒業後はアメリカにおいて行政学の専門職大学院と情報管理学の大学院で修士号を取得しました。世界各国の官僚や外交官、国連職員などを教育訓練する大学院です。在学中は紛争国や途上国、独裁国を含め、さまざまな国の政府関係者や国連関係者などと親交を深めました。仕事ではアフガニスタンやアフリカ南部などを含めたプロジェクトにも関わりました。

また、高校2年生のときにひとりで台湾のペンパル（文通相手）の家でホームステイしたのを皮切りに、学生時代はバックパッカーとしてバルカン半島や旧ソ連、南アジアなど多様な国をひとりで訪問。ときには現地のお宅で居候していました。

このようにかなり特殊な経験をして世界各国で仕事や人々に関わってきました。だからこそ世界のニュースや情報に対する視点がユニークなのではないかと感じています。

とくに今回、ぜひ読んでいただきたい項目がＡＩに関する部分です。

ＡＩについては、まだ海のものとも山のものともわからないという方が多いかもしれませんが、上手に使えば大いに役に立つ「ツール」です。ただ一方で、その構造や弱みもよく理解しておくことがたいへん重要です。

それから、ロシアが仕掛けた戦争によって全世界のエネルギー政策が激変しています。日本のメディアではなかなか報道されませんが、火力発電や原子力発電への揺り戻しが発生しており、無理な環境対策へのバックラッシュが起きています。日本における太陽光発電のスキャンダルや、再生可能エネルギーを優先するがための環境破壊という本末転倒な動きと合わせて世界の動きを知ってください。

そしてまた第7章の「世界の裏の顔」では海外の人々の本音をご紹介しました。人間はどこでもそう変わらないということがおわかりになると思います。

喜ばしいことにやっとコロナ禍が収束に向かい、世界の人々が元気になってきました。本書では以前のように活力がみなぎりはじめた世界の人々の〝しょーもない話〟も含めています。どうぞ飲み会や宴席でのお楽しみネタとしてもご活用ください。

本書を少しでもみなさんの人生のお役に立てていただければ幸いです。

目　次

第2章　世界の「イスラエル・ハマス戦争」を日本人は何も知らない　41

第1章　世界の「最新ニュース」を日本人は何も知らない

ＬＧＢＴＱ施策をやりすぎでバックラッシュ！

日本では最近、性的マイノリティ（性的少数者）を表す「ＬＧＢＴＱ」への関心が高まっており、わが国でもさらなる支援をするべきだという声が強くなっています。

ＬＧＢＴＱとはレズビアン、ゲイ、バイセクシャル、トランスジェンダー、クエスチョニング／クィア（定まっていない人／決めていない人）の頭文字をとったものです。一般的には「セクシュアル・マイノリティ」と呼ばれる人のことを指します。これらの方に配慮をするのは当然のことでしょう。

ところが最近は各国でＬＧＢＴＱへの気遣いをしすぎてしまい、過激化していることに対して保護者などから批判が高まっています。

たとえばアメリカのオレゴン州にあるチャーチル高校でのことです。

学校の授業で教員が生徒に「性的なファンタジーを創作せよ」という課題を出し、授業内で肛門性交などの性的な行為を説明し、どの生徒と行為をしたいか発表しなさいと強要しました。激怒した保護者が市役所に訴える羽目になっているのです。学校側はカリキュラムに沿っただけだと主張していますが、実際におこなわれた授業は学校では過激すぎでどうみても風俗店のプレイにしか見えません。

さらに先進国では性自認が大問題になっています。

これは、性別は本人が「自称」したものを優先すべきで、その人が性転換手術を受けたかどうか、生物学的にどうかで決めるべきではないという考え方です。

性別を本人の自己申告で認めてしまうと、たとえば見た目は完全に男性の人が、女性の更衣室や女風呂を使用することを認めなくてはなりません。これに関しては先進国でも反対意見が多く、大変な議論になっています。ところが性自認に反対する人が苦情を入れると、逆にその人が処罰されるという事態になっているのです。

ケンタッキー大学所属（当時）の有名女性水泳選手ライリー・ゲインズさんが競技会に出席すると、トランスジェンダーで元男性選手のリア・トーマスさんが許可なく女性更衣室に入ってきました。そして男性器を丸出しにして着替えていたので驚き、「彼は更衣室を使うべきではない」と抗議します。ほかの女性選手も拒否して大騒動が起こったのです。

ゲインズさんは「スポーツは自認する性ではなく生物学的性にそって競技すべき」という運動をされているので有名です。このトーマスさんを避けるために、清掃員のクローゼットで服を脱いだ水泳選手もいたのでした。

195センチもあるトーマスさんは男性の水泳選手時代は65位だったのですが、女子に転向してすぐに女子500ヤードの自由形で1位、200ヤード自由形では男子の554位から女子5位に急上昇しました。さらに2022年3月、アトランタで開催されたチャンピオンシップでは女子500ヤード自由形で優勝しており、初めてトランスジェンダー選手の優勝者になっています。

女性スポーツに男性が参加することの不公平さを主張しているゲインズさんですが、2023年4月にはサンフランシスコでスピーチの最中に、トランスジェンダーの権利を支持する暴徒に待ち伏せされ、殴打されてしまったのです。

元男性トランスジェンダー女性の横暴に苦慮

このように最近ではトランスジェンダーを含めLGBTQの人々が優先されるあまりに、問題を指摘する人々が物理的に攻撃されるような事件が出てきています。

2023年3月24日には、ニュージーランドのオークランドにおける女性の権利に関する集会で活動家とトランスジェンダーのかなり激しい衝突が起きています。

ふだんは平和的なこのお祭りに、元男性のトランスジェンダー女性活動家が大量に押しよせました。そして女性の権利についてスピーチをしようとしていたお年寄りを含む女性の集まりに元男性が突入し、女性たちを押したり殴りつけたりするという酷すぎる暴力事件が発生したのです。

暴力を振るう元男性たちや活動家は体が大きく、お腹が出ており体重100キロを超えるような人だらけで、完全に見た目は中年男性です。この元男性たちが、小さな女性やお年寄りをボコボコに殴りつけたり体を押しつけたりしているのです。

このような暴挙はYouTubeなどで国境を超えて海外にも広がります。イギリスでも同じくトランスジェンダーによる攻撃が批判されているのです。

ロンドン郊外出身の国会議員クリス・フィリップ氏は保守党の議員ですが、リベラルな見解で知られています。ニュージーランドで女性の権利を主張していた女性らが、巨漢のもともとが男性だったトランスジェンダー女性たちに暴力的な抗議をされたことは許されるべきではないと主張しました。ところが、この議員も国内で批判にさらされてしまいます。

イギリスではこのような意見の人が増えているのですが、少数派の権利を守るというお題目で、お年寄りや女性の権利を侵害することはあってはならないことでしょう。

最近ではこのような過激な動きに左派も反対しているケースが出てきています。やはりやり過ぎという印象を抱いている人が多いのです。

たとえば過激な左派というか共産主義であるはずのイギリス共産党も、最近の性自認至上主義が横行するのはいろいろ問題があると指摘しています。生物学的な性とジェンダーの混同は行き過ぎで、正常化への道を支持すると明確に主張しているのです。

また有名人のなかにも、あまりにも過激すぎる少数派の保護は本末転倒だとして、自分のキャリアへの影響があってもハッキリと中傷する人も出てきています。

人気漫画でアメリカの新聞や雑誌でお馴染みの『ディルバート』の作者スコット・アダムスさんは、自身のYouTubeで「アフリカ系の人々のグループは被害者であることを強調しすぎて、自分たちがヘイトスピーチをやる集団になってしまっている」と批判しました。すると最新作の自己啓発本が書店の棚から取り下げられ、ブックエージェントからも契約を解消されるという事態になっています。

アダムスさんはさまざまな主張をしていますが、決して差別的な内容ではなく、一般人であれば納得するような常識的なことを述べています。政治的正しさ、いわゆるポリティカル・コレクトネスが過激になりすぎている先進国では、彼のような正当な意見は却下されてしまうのです。

アホな環境対策で人権を侵害されるヨーロッパの人々

イギリスをはじめヨーロッパでは環境対策に対する有権者の揺り戻しが起きはじめて

います。これまで各国政府は環境対策を重要視し選挙の公約でも課題のひとつに掲げてきました。企業も消費者向けのキャンペーンで「環境にやさしい」と訴えマーケティングで強調するのがここ15年ほどの流れでしたが、有権者の苦しい生活を置き去りにした急進的な環境重視のエネルギー対策に揺り戻しがあらわれはじめています。

その代表のひとつがロンドンの「超低排出ゾーン」（ＵＬＥＺ）です。これはロンドンの大気汚染をなんとか減らすための施策で、その過激さによりイギリス国内だけではなく、ヨーロッパ全体でも驚きをもって取り入れられたものです。

２０１９年に始まったこの施策は、移民の人権擁護弁護士としてキャリアをスタートしたバングラデシュ系の両親を持つイスラム教徒の移民２世で、労働党のサディク・カーン市長が市民による反対の声を押し切って導入した「残酷で無情」なものです。

２０１５年以前に登録されたディーゼルエンジン車、さらに２００６年以前に登録されたガソリンエンジン車が対象です。自動車排ガス規制である「Euro4」（２００５年施行）と「Euro6」（２０１４年施行）を満たさない車両は「超低排出ゾーン」を走る場合、乗用車で一日あたり12・5ポンド、日本円でおよそ２２００円（1ポンド１７５

円で計算）を市に支払わなければなりません。

この施策が大きな不評となっている理由は、規制に除外がなく、低所得者や高齢者はもちろん、体に障害がある人なども例外なしに費用を払わなければならないからです。

このような規制区域内に住む人、また区域内に通勤する人や病気などで車を使わざるをえない人はかなり厳しい状況に直面します。

たとえば病院に向かう病気の人や高齢者も車で移動するだけで約２２００円を市に支払わなければならず、ちょっとコンビニやスーパーに行くだけでも決められた金額を提供する必要があるのです。しかもロンドン中心部だけだった規制は２０２３年８月29日から対象エリアが拡大されています。

東京で例えると、以前は都内中心部から渋谷、目黒、品川、浅草程度の範囲だったのが、いきなり習志野、浦和、府中、横浜、厚木など都内から30～40キロ圏内に拡大されてしまう感覚です。とくに東京都全域が対象なので、都内でちょっと車を運転するだけで一日におよそ２２００円も通行料金を払わねばならない、とするとイメージがわくでしょうか。

環境対策はたいへん重要なのですが、住民の経済状況、とくに弱者の生活レベルや利便性を犠牲にするような対策は本末転倒で経済全体が悪化しかねません。日本でも導入には慎重になるべきです。

中国の脅威をはっきりと指摘するイギリス政府

ここ最近ヨーロッパで大きな問題なのが中国によるありとあらゆる妨害工作です。ヨーロッパのなかでも中国の脅威をはっきりと公開しているのがイギリスです。これはイギリスが共産主義国家との距離をおいてきたのと、前々から左派や中露への警戒心が強かったからです。それは左翼系が強すぎるドイツやフランスとは大違いです。

たとえば２０２３年７月には、イギリス国会の議員で構成される情報安全保障委員会（ＩＳＣ）は北京がもたらす脅威に関する研究「Intelligence and Security Committee of Parliament China 13 July 2023」を発表し、中国は「英国経済のあらゆる分野への浸透に成功した」とはっきり述べています。

この200ページにわたる報告書の内容は驚くべきものであり、確固とした証拠もある内容で中国の脅威が堂々と暴露されています。なぜかこの驚くべき内容は日本のテレビや新聞ではほとんど取り上げられていないのですが、日本の方々にはぜひお読みいただきたいと思います。わかりやすい英語なので、お時間がある方は翻訳ソフトを使いながら読んでみてください。

「https://isc.independent.gov.uk/wp-content/uploads/2023/07/ISC-China.pdf」で検索すると出てきます。（※2023年11月現在）

この報告書では、イギリス政府の対策は「完全に不十分」であり遅すぎるとはっきり明記しているのです。リシ・スナク首相は、中国が「国際秩序に対する画期的な挑戦」をしていると述べ、この報告書の内容を完全に肯定しています。

また中国の国家諜報機関は「ほぼ確実に世界最大」であり、イギリスの原子力発電所、経済と、ありとあらゆる側面から攻撃しているというのです。さらに「中国のもっとも重要な目標は中国共産党（CCP）の持続的な支配と統治であり、グローバルな野望はほかの国が依存する技術的および経済的な超大国になることである」と述べています。

そしてまた中国は、経済の繁栄を党の支配の正当化に不可欠なものとみており、地政学的な影響力を追求し、国際的なシステムと価値観を自国の利益に合わせて再構築し、強力で主導的かつ世界的な大国として認識され、国内の内部の異議を排除し、党の生存を確保しようとしています。

報告書内では、ロンドン大学東洋アフリカ研究学院（ＳＯＡＳ）の中国研究院所長であるスティーブ・ツァン教授の「それは毛沢東時代以降の中国政治におけるもっとも重要な駆動要因」という言葉が引用されています。

さらに驚くべきことに、この報告書は中国のコロナウイルスへの関わりも指摘しており、「中国はパンデミックの際に偽情報を撒き散らし、ウイルス対策とワクチンの開発を大いに誇張し、ウイルスの起源に疑念の種を蒔いて、中国が非難されていないように世界に信じさせようとした。世界経済への影響を利用し、パンデミックで苦しんだほかの多くの国にくらべて強く出てくる可能性がある」としているのです。

先進国の政府の公式文書でここまで明確に中国の脅威を指摘したものはこれまでなかったのではないでしょうか。これが日本で報道されず、くわしい分析もおこなわれないことには何か意味があるのではないかと思ってしまうほどです。

イギリスで暗躍する中国スパイ

２０２３年9月はじめには、イギリスの議会調査員として働いているイギリス国籍の20代と30代の男性２人が、２０２３年3月に公式秘密法の下で中国スパイの容疑により逮捕されたことが明らかになりました。

さらに驚くべきことにリシ・スナク首相は、インドで開催されたG20サミットの際に「英国の民主主義を弱体化させようとする行動は完全に受け入れられず、決して容認されないと李首相に強調した」として中国側に直接抗議したのです。

かつて中国から「反中国的」として入国拒否などの制裁を受けた元保守党の党首でタカ派のイアン・ダンカンスミス氏は、「中国は大学から議会まで、私たちのすべての機関に浸透している」と言い、スナク首相の対応は弱すぎだったと非難しています。

さらに同時期に、イギリスでは国会議員の候補者にまで中国のスパイが紛れ込んでいると大騒ぎになりました。

２０２３年9月のタイムズ紙による報道では、英国機密諜報部・軍情報部第5課(Military Intelligence Section 5) いわゆる「ＭＩ５」は保守党の国会議員候補者2名が、中国政府で世論形成を担当する統一戦線工作部（ＵＦＷＤ）にリンクする候補者をリストに入れるべきではないと通報したことが明らかになっています。

こうした中国のイギリス政治における影響力は最近になって問題となったわけではありません。イギリス政府は２０２０年、度重なる議員の警告によりセキュリティの懸念があるとして中国の通信会社ファーウェイを、国家情報を含む5Ｇネットワークから段階的に廃止するよう決定しているのです。

イギリスの保安局は２０２２年、同機関では史上初の中国に関する公式な警告を発表しました。中国系弁護士のクリスティン・リー氏が、中国共産党の世論形成を担当する統一戦線工作部（ＵＦＷＤ）に代わって、イギリスの国会議員に不適切な影響を与えようとしたのは中国政府のエージェントだからであると発表したのです。

リーは58歳で、15年間政界に身をおいて、イギリスの中国系団体などで活動してきた

２０１３年から２０１５年の間、イギリスの労働党と自由民主党に合計50万５千ポンド、日本円で約８千８百万円にのぼる寄付をしていたのです。

過激な左派であり反イスラエル派のジェレミー・コービン氏が党首だった時代の労働党でのことです。２０１６年に影の貿易長官と影のエネルギー長官を務めていたバリー・ガーディナー氏は、リーの法律事務所から合計50万ポンドにもおよぶ献金を受け取りました。

その代わりにリーの息子を秘書として雇用し、中国企業が少数派投資家であったヒンクリーポイントの新しい原子力発電所を支援することについて話をしています。

世界の64％が〝ロシア推し〟か中立だった

ロシアのウクライナに対する侵攻はまだ先が見えません。

先進国では「ロシア＝悪の帝国」という見方が当たり前ですが、世界的にみるとそうでもないのです。

2022年3月2日、141カ国がロシアのウクライナ侵攻に関する国連の決議に投票しました。この投票結果をイギリスの雑誌「エコノミスト」の調査部署であるEIU（エコノミスト・インテリジェンス・ユニット）が深掘りしました。

それによると、人口比ではロシアを非難するのは世界のわずか36％で、世界全体ではロシアを支援する国のほうが圧倒的に多いことが発覚したのです。

発展途上国やロシアと関係が深い独裁国は人口が多いので、世界の64％がロシアを支援しているか中立になってしまうのです。先進国は、実は少数派という事実がなんとも恐ろしいです。ようするに人口数による多数決で「ロシアは悪いか？」と決議をしたら「悪くない」が多数派になります。これが国単位の多数決になると世界の61％がロシアを非難しているのです。

つまり、お金持ちの国ほどロシアを非難しまくりなのです。世界のエネルギー価格がメチャクチャになり、経済が大変なことになっているので当たり前です。

そんなロシアですが、お金持ち国から非難されてもまったくめげずに相変わらず我が道を歩んでいます。それを示すのがロシアの教育です。

ハンガリーのニュースサイト「G7」によれば、2023年に発表されたロシアの11年生、いわゆる日本では高校2~3年生に相当する生徒向けの新しい歴史教科書は完全な「プーチンの視点全開のロシア愛国史感」に染まっているのです。

1956年に起きたソ連支配からの自由を求めて民衆が蜂起した動乱のハンガリー革命では、「フリーダムファイター」を「ファシスト」と呼び、「革命を起こしたのは西欧諸国の秘密警察」だと強く主張。さらにソ連はハンガリー当局を支援したとまで歴史的事実を改ざんしています。チェコやその他の東欧諸国に関しても同じような調子で、ソ連はそれらの国々の人たちを攻撃しなかったとまで書いてあるのです。

プーチンの顧問ウラジーミル・メジンスキーに執筆が委託されており、およそ100ページがプーチン政権時代を語り、18ページが「特別軍事作戦」、ようするにウクライナ侵攻を扱っています。

「1990年代以降、ウクライナの数世代は『ロシアとネオナチ』の思想に対する反感を持って育てられ、ウクライナ軍はNATO（北大西洋条約機構）の命令に従い、自国民を軍事利用している。人間の盾を持ち、居住地から出ることを許さない」とされているのです。教科書によると、「世界史上、自国の領土でこれほど残忍な戦術を用いた軍隊はない」とのことです。

また東欧諸国のソ連派は「歓迎された」と記され、「解放は間違いだった」とも書かれ、ここまで強烈な内容はロシア国内でも議論になっていて若者が驚いているのです。

ロシア軍事会社のヘッド、実は元テキ屋のおっさんだった！

ロシアに関して2023年半ばの驚きのひとつは、プーチンの側近であり民間軍事会社ワグナーの創設者エフゲニー・プリゴジン氏の航空機撃墜事故による死亡でした。

プリゴジンが殺害された方法は、ロシアでは〝一般的〟な毒殺や窓からの突然の落下ではありません。国内で航空機が撃墜されるという、ある意味〝劇場型〟のものでした。世界中のメディアにロシアのメッセージを送り、同時に、プリゴジン氏の潜在的な後継者を排除する効果もあったのです。

ワグナーの共同創設者ドミトリー・ウトキン氏は、アドルフ・ヒトラーのお気に入りの作曲家リヒャルト・ワーグナーにちなんで社を「ワグナー」と名付けたと伝えられています。ウトキンはプリゴジンに近い人間でしたが、同時に死亡したとされています。

イギリスのタイムズ紙による報道によれば２０２３年の世論調査で、プーチンがプリゴジンを殺害したと信じるロシア人は８％のみという驚きの結果です。ただしロシアでは盗聴や監視が盛んなため、本音を答える人は少ないと留意するべきでしょう。むしろ信じると回答した人が８％もいたことに驚きです。

プリゴジンの経歴は実にロシア的で、ロシアという国がどんなところなのか理解するのに役に立ちます。ロシアでもっとも残酷な司令官としての評判があり、捕虜交換でウクライナ人から引き渡されたワグナー亡命者の殺害をハンマーで実行したビデオに対し、「犬のための犬の死」と述べたほどです。

プリゴジンの生まれは決して恵まれたものではありません。現在のサンクトペテルブルク、すなわちソ連時代のレニングラードで生まれました。父親は早くに亡くなり、病院で働くシングルマザーの母親のもとで育ちました。クロスカントリースキーに熱中しますが選手としては大成せず、その後不良になってしまいます。１９８０年には女性の首を絞めて強盗をはたらき、懲役13年を宣告されました。

１９９０年に出獄するとソ連式の狭いアパートの一角でホットドッグを作っては屋台で売るようになります。ペレストロイカ後のソ連ではまだまだ自分でビジネスをやるような人は多くありません。

ソ連にどっぷりだったロシア人には「売上高と利益」の違いがわからないような人も多かったので、彼のように商売を始める人は少数派なんです。イギリスの大手一般新聞ガーディアン紙の報道によれば、月に１０００ドル、日本円でおよそ15万円も儲けるようになります。これは当時のソ連の経済状況を考えたら大変な金額です。

その後、商才を発揮したプリゴジンはスーパーマーケットの株式を所有するようになり、のちにワインバー、そしてレストラン「オールドカスタムハウス」を開店します。

完璧主義者で上昇志向があったプリゴジンの経営は極めて厳格でミスは許しません。上流階層にターゲットを定め、ロンドンの超高級ホテルであるサヴォイで働いていたトニー・ギアを管理者として雇います。改革に沸き立つロシアで、まだ高級店が少なかったため芸能人や政治家などを次々と獲得し人脈づくりを成し遂げます。

このレストランにはプーチンも来店するようになりました。やがてプリゴジンは主要な政府のイベントやモスクワの学校給食なども提供するようになります。

プーチンに対しては自ら給仕をしてもてなすなど礼儀を怠りません。こうして次第に各国の閣僚が出席するイベントにも顔を出すようになり、スペインの王族やアメリカのブッシュ大統領の晩餐も担当するようになるのです。

そしてプーチンと親しくなったプリゴジンは、主にロシアの海外での軍事侵攻を民間軍事会社が担当することを提案します。軍人ではないプリゴジンの提案は軍高官の間では大変な議論を呼びましたが、プリゴジンは強烈な指導力でワグナーを海外に進出させ、残虐かつ強引な戦いによりプーチンに忠誠を示してきたのです。

ロシアでは異例な立身出世を体現したプリゴジンの生涯

ここでたいへん興味深い点があります。実はロシアと旧ソ連というのは、昔はかなりのエリート主義で、政府の上層部や大学で上をめざすには知識階級でなければならず、教養や知性が重視されていた点です。

プリゴジン自身はそういった潮流とはまったく正反対で、満足な教育を受けず、言葉も荒く、元受刑者という経歴のうえに、お金にうるさい商売人です。

まさに叩き上げを絵に描いたような人間ですが、自分が庶民で底辺の階級で、元囚人でもあることを常に強調し、ペレストロイカ後の社会変化のなかで翻弄される「忘れられたロシア人」の共感を得て強烈なリーダーシップを発揮していたのです。

ソ連崩壊前後に富を築き、社会の上層部に躍り出たロシア人のなかには似たようなタイプがいます。そして過激なことをやって有力者のお気に入りになれば出世するという、ロシア的な部分を体現しています。ところが、いったん異論を唱えたり裏切ったりすればプリゴジンのようにたちまち始末されてしまうのです。

そんなプリゴジンの人となりをうかがい知ることができるものに、彼が出版した絵本があります。モスクワタイムズによれば、20年前『インドラグジク』という名前で出版されています。巨大な劇場のシャンデリアのなかで家族と一緒に暮らす小さな男の子と彼の妹の物語です。インドラグジクが劇場のシャンデリアから落ちて家に帰る道を見つけようとします。

著者はプリゴジンの2人の子ども、ポリーナとパベルです。2000部が印刷され図書館に寄贈されたり、友人に配られたりしたようです。序文では物語はプリゴジン自身であり、彼の息子と娘が共同で書いた話だとされています。

ストーリーは自作し、絵はプロの画家に外注しているようですが、ロシアの懐かしく、詳細で丁寧、優しい色使いの可愛らしい絵柄です。本の最後には彼自身と妻、子どもたちが幸せそうに本を眺める、ごく普通の家族の写真が掲載されています。

彼には、メルヘン好きでロマンチックな心を持ちつつ、残虐行為に手を染める性質が同居しているのです。

プリゴジンは夢を叶えられなかった落第したアスリートから犯罪者になって服役し、ホットドッグの屋台からレストランの経営者になりました。大統領の側近となって傭兵会社を経営し全世界を恐怖に陥れたあとに、全世界の聴衆の前で〝公開処刑〟されました。ロシアの変遷と時代性を絵に描いたような人生です。

名誉殺人や児童虐待が原因で婚姻年齢を引き上げた

イギリスでは婚姻年齢が16歳から18歳に引き上げられたのが話題です。特定地域から来た移民が、まだ子どもである16歳の児童に年上や高齢者に近い男性との結婚を強制し、拒否した場合に家族によって殺害されたり、子ども自身が逃亡したりする例が発生しているからです。つまりこういった虐待を防ぐために仕方なく制度化されたという対策なのです。

法改正キャンペーンは、自身が16歳で2倍以上の年齢の方との見合い結婚を強制されたうえに、姉であるバナズさんが17歳の時に強制的に結婚させられ、家族に殺害されたクルディスタン出身のペイジー・マフモドさんが先導しました。イギリスは日本と違って多民族国家です。アフリカや南アジアなど、男女関係や家族関係に関する考え方が先進国とまったく異なる国から多くの人が移民してきているのです。

そのような国では見合いによる結婚がまだ当たり前で、親族間結婚や児童婚が当然のごとくなされるので、このような悲劇的な結婚が起こります。

家賃が払えず車中生活するスペイン人

ヨーロッパの人々に大人気のリゾート地はスペインのマヨルカ島やメノルカ島です。欧州北部から飛行機で2～3時間なので、東京から沖縄に行く感覚です。しかも長年リゾート開発されてきたのでサービスもいろいろ行き届き、値段も格安です。

これまでは激安旅行や家族連れに大人気だったのですが、最近はこれまでもっと高い観光地、たとえばカリブ海やアメリカに出かけていたイギリス人が費用節約のために押し寄せています。かつての相場よりも高い家賃を払ったり、物件を買い上げたりするために不動産価格が高騰しているのです。

一方で地元のスペイン人は家賃が払えなくなったり家を買えなくなったりで、車中泊を余儀なくされています。

このような問題はスペインだけではなく、スイス、ポルトガル、イタリア、ギリシャ、フランスなどでも起きています。ドイツやオランダ、イギリス、アメリカなどからやってくる富裕層が、現地の不動産を買ったりリゾートの値段を上げてしまったりするので地元の人には手が届かなくなってしまうのです。

日本だと北海道や沖縄、京都で起きていることが、ヨーロッパでは20年ほど前から当たり前になっているのです。

第2章　世界の「イスラエル・ハマス戦争」を日本人は何も知らない

ハマスがイスラエルを攻撃し世界中に衝撃を与える

２０２３年10月7日、パレスチナのガザ地区を実効支配する武装勢力組織「ハマス」は空や海からの攻撃に加え、同地区の国境フェンスを突破し、イスラエルの住居や街路を破壊しました。さらには現地で開催されていた音楽祭で数百人を虐殺するという暴挙に出たのです。その結果、イスラエルとガザ地区双方で少なくとも２３００人が殺害されました。

特にこの音楽祭「ＮＯＶＡフェスティバル」はガザ地区の近くで開催された平和と愛のためのイベントです。海外から数多くの音楽ファンや観光客、ＤＪの人々が集っていたことから世界中が大変な衝撃を受けました。この音楽祭に出席していた人の中には、幸いにも被害に遭うことがなく帰国された日本人もいたようです。

実際の現地の様子は日本のメディアでは詳細は伝えられておりませんでした。音楽祭に出席した人々は突然ハマスのテロリストから無差別に射撃され、助かった方々は車で逃げたり自力で走ったりして民家のほうに隠れた人々でした。

この攻撃は正真正銘の無差別であり、命を落とした人のなかには子どもや障害者の方までいたのです。ハマスのテロリストは観客が隠れていると思われる移動式トイレのドアを銃撃し、さらにはガソリンスタンドや近くの住宅地も襲いました。

もっとも悲惨な被害者の家族はイスラエル人の父親と10代の脳性麻痺および筋ジストロフィー患者の娘さんでした。この父親は、体が不自由な娘さんに音楽の楽しさを知ってもらいたいと思い、娘さんをこの音楽祭に連れてきたのです。

娘さんを本当に大事にしていた方のようで、SNSにはさまざまな外出時の写真が掲載されています。ところがこの親子もハマスの犠牲になってしまいます。娘さんの車椅子とふたりの遺体が発見されたのは数日後のことでした。

実は意外と近い欧州とイスラエル

このような音楽祭にヨーロッパを中心として世界各地からさまざまな人々が参加していたことに驚かれた方が多いかもしれません。

日本の方々の「常に紛争が起きている」という一般的なイメージとは異なり、ここ最近のイスラエルは旅行先としてとても人気があるところなのです。

寒いヨーロッパとは相違し、気候が温暖で世界遺産も多く、位置的に近隣の国々へ観光に出かけるのにもとても便利です。

ユダヤ教の人だけではなく、イスラム教徒やキリスト教徒にとっても宗教的に重要な場所があるので巡礼目的でやってくる人もいます。最近はさまざまなイベントが開催されることもあり、どちらかというと宗教的な目的というよりも、単なる休暇で訪れる人も少なくありませんでした。

実際、イギリスからは激安航空会社でヤンキーとパリピ御用達のライアンエア、イージージェット、さらにはウィズエアも飛んでおり、イギリスからはなんと片道1万円程度でイスラエルへ旅行できるのです。

ところが2023年10月に襲撃事件が起きると、その数日後にはこれらの路線は一時的に運行停止となってしまいました。それまでは実に庶民向けのお気軽な観光地だったのです。

このように手軽な観光エリアであったイスラエルがこんな悲惨な状況になってしまいイギリスをはじめヨーロッパの人々は大変な衝撃を受けています。

イギリスの民間放送局ＩＴＶでさえ、いつもは高齢者向けの病気やお料理コーナーだらけの朝のワイドショー番組でも、現地からの生中継や現役の軍人や中東政治専門家が登場するなど、ロシアのウクライナ侵攻時に近いかなり緊迫した状況でした。

ＩＴＶは主要な視聴者が中年以上の一般的な人々で保守系なので、こういったワイドショーであってもハマスを完全に非難し、朝からたいへん熱意がこもったイスラエル支援の意見を述べる司会者やコメンテーターだらけでした。

ロシアがウクライナに侵攻したときよりも熱がこもっていた印象です。

ガザ地区を足立区に置き換えてみると地理感がわかりやすい

ニュースを見ていてもイスラエルの地理感がわかりにくいかもしれないので、ポイント形式で日本に置き換えてみましょう。ここでは仮に「ガザ地区＝足立区」とします。

・埼玉、神奈川、千葉、東京23区（すべて含めて現在のイスラエル地域）は昔、荒れ地であまり人がいなくてみんな仲良しだった
・この地には蒲田（エルサレム）という聖地があって、壁や寺をつくり、みんなで推しを拝んでいた
・それぞれ拝んでいる推し（ユダヤ教、イスラム教、キリスト教）が違うのでグループは分かれていた
・しかも一部のグループは推しのガイドブック（聖書）が同じで、このガイドブックは旧版と新版（旧約聖書と新約聖書）で内容が違うので、どっちがいいかという議論になることもあったが、ドルヲタのようにゆるく暮らしていた
・だが次第に推しの違いなど、いろいろやることが違うので、もともと住んでいた人の一部が他のグループにいじめられ、別の推し一派の新潟民（ローマ人）にボコボコにされて追い出される
・いじめられた人（ユダヤ人）は困り果てて流浪の民になるが、どこでも「お前くるんじゃねえ！」と文句を言われ、群馬（エジプト）、茨城（イラク）、三重（イラン）な

どに引っ越しかなり肩身が狭い状態で暮らす

・遠くは長野（ドイツ）や京都（イギリス）にまで引っ越した人々もいた

・ところが長野（ドイツ）はこの人々をいじめまくっていたので、嫌になった人々がしかたなく岐阜（ロシア）に引っ越す

・だが岐阜（ロシア）でもいじめられるどころか、超寒いところとか辺境の地に住めといわれてますます貧乏になる。しかも殺害されるようにもなったので、命からがら埼玉、神奈川、千葉、東京23区（すべて含めて現在のイスラエル地域）に逃げる

・次第に「ちょっとこれ、ヤバくねぇ？　私らだけの県をつくって住んだらもういじめがないいんじゃねぇ？　うちらの先祖が住んでいたとこに戻るっぺよ」となってシオニズム運動が盛り上がり、さらに埼玉、神奈川、千葉、東京23区（すべて含めて現在のイスラエル地域）に引っ越す人が激増した

・ところが埼玉、神奈川、千葉、東京23区（すべて含めて現在のイスラエル地域、以下略）は場所的にいろいろと便利なので中国（オスマントルコ）が支配していた

・しかし中国はムカつくので京都（イギリス）が大阪（フランス）と結託して追い出す

・京都（イギリス）は「わてらが中国追い出したらあんたが支配者になりますのや」と埼玉、神奈川、千葉、東京23区どころか、茨城（イラク）や群馬（エジプト）にまでナイスなことを言い、その一方で「わてらで分けるんどすぇ」と大阪（フランス）と勝手に約束したうえ岐阜（ロシア）にも「あんさんもどないでっか？　土地ほしいやろ。仲間になったらどうなん？」と言い、勝手に別の約束をする
・いろいろ根回しをした挙げ句に京都（イギリス）はここを管理することになる。埼玉、神奈川、千葉、東京23区のもともと住んでいた民と引っ越してきた民には「あんたら、仲良くやるんやで」というが、次第にどっちからもムカつかれるようになり、ボコられるのが嫌になって逃亡。結局、世話を北海道（アメリカ）に押しつける
・そこに大阪（フランス）、京都（イギリス）、長野（ドイツ）などでいじめられていた人たち（ユダヤ人）が引っ越してくる。特に岐阜（ロシア）と長野（ドイツ）から大量に引っ越してきて勝手に土地を耕して住みはじめる
・近くには蒲田（エルサレム）もあるので大人気になる。もともと住んでいた地元民も蒲田（エルサレム）が大好きなので取り合いになる

・引っ越して来た民は大変な働き者のうえに知恵があり、農耕がうまいのでけっこう金持ちになってしまう。それまでは栽培できなかったスイカとか大根もガンガン採れるようになる。しかも、もともと金持ちな人もいてテスラに乗っている人もいる。とはいえ、もともと住んでいた地元民に襲撃されるので武装するようになる

・揉め事が増えたので、北海道（アメリカ）などが間に入って、もともと住んでいた人は水があってナイスな町田（パレスチナ自治区ヨルダン川西岸地区）と足立区（ガザ地区）に住むことを提案。一応小康状態となって、引っ越してきた人とゆるく仲良くしている人もいた

・引っ越してきた民に〝激おこ〟な足立区の若い衆（ハマス）が東京23区（イスラエルの一部）を支配するようになる。足立区民は過激で戦闘に熱心なので、トンネルを掘って攻撃したり、千葉、埼玉、神奈川（イスラエルの一部）の民を誘拐したりするようになる。町田民（パレスチナ自治区ヨルダン川西岸地区）はもうちょっとマイルドなのでこれは嫌だと言っている

・しかも引っ越して来た民の中にも、超武闘派が増えてきて、町田（パレスチナ自治区

ヨルダン川西岸地区）と足立区（ガザ地区）をぶっ叩こうという一派が大人気になってしまい、抗争に油を注ぐことになる。しかもこの一派は町田（パレスチナ自治区ヨルダン川西岸地区）に勝手に入り込んで家を建てたり畑を作るので、ゆるくやりたい人々は大迷惑。引っ越して来た人の中には足立区民（ガザ地区に住んでいる人）を支援する人も出てきて仲間割れ状態

・ガザ地区との境界線近くにある浦和で開催していたサマソニ（サマーソニック／音楽イベント）が襲撃を受け、ラブ&ピースなテクノのパリピが銃撃され誘拐される。パリピは沖縄、島根、佐賀、新島など各地から来ていた

・東京23区（イスラエルの一部）から埼玉、神奈川、千葉にミサイル発射

・もともと埼玉、神奈川、千葉、東京23区に住んでいた予備役の民は郷土愛が強く、崎陽軒のシウマイや川越の干しいも、千葉の南京豆を愛しているので、救済のためハワイとシンガポール、タイから帰国する

・こんにゃくしか売るものがなく貧乏な群馬（エジプト）や、やはり貧乏で国内でもいろいろ揉《も》めている茨城（イラク）は東京23区からの避難民を拒否。茨城（イラク）は

「我が国は埼玉、神奈川、千葉民を迫害した歴史はない」と言い張っているが、茨城（イラク）にいたこれらの民はすべて追放された

・神奈川の川崎と埼玉の浦和に世界最強といわれるイスラエルの防空システム「アイアンドーム」があり、足立区（ガザ地区）からのミサイルを迎撃している

・一方で、三重（イラン）、愛知（サウジアラビア）、金沢（シリア）、茨城（イラク）が東京23区をこっそり支援する

・その昔、茨城（イラク）に移民した埼玉、神奈川、千葉、東京23区の民20万人（パレスチナ人）が突然拒否されて外に出される

・日本全土（世界中）で埼玉、神奈川、千葉、東京23区の民（パレスチナ人）がたらい回しにされる

・埼玉、神奈川、千葉、東京23区には全国から移民が来ていた

・埼玉、神奈川、千葉、東京23区ではミサイルが落ちているが、相変わらずドミノピザが配達される

・埼玉、神奈川、千葉が東京23区への水と電気を遮断するが、北海道（アメリカ）にや

りすぎと怒られる
・東京23区民の電気・水道代は埼玉、神奈川、千葉が負担し、東京23区の支配下にある足立区民（ガザ地区に住んでいる人）に請求するが長年ガン無視されて困っている
・東京23区民は、体の具合が悪くなると神奈川の横浜市大病院と千葉の亀田病院で治療してもらう。御茶ノ水の順天堂医大はすでに破壊されているので仕方がないし電気と水が足りない
・ところが足立区民（ガザ地区に住んでいる人）の一部は埼玉、神奈川、千葉から毎日通勤して出稼ぎしていた
・蒲田（エルサレム）には毎年巡礼者が来るので佐賀（ドバイ）から格安航空ピーチが飛んでいて片道1万円だった。しかもフィリピンとか台湾の観光客にも大人気で、観光客が数多く乗っていた
・足立区民（ガザ地区）は同じく東京23区の世田谷区で実施されるキャンドル系の意識高い祭り、巣鴨の地雷系風俗店、タピオカ屋、浅草の祭り（＝各地のイベント）が大嫌いで全部禁止し、反抗する奴らは射殺した

・ただし足立区民はネット民のため、ガザ地区の携帯電話店である秋葉原の存在は賞賛していた
・足立区支配者（ハマス）は普段、石垣島（カタール）のＶＩＰリゾートに在住する
・足立区支配者（ハマス）は大阪・西成（ヒズボラ）と神戸（アルカイダ）の支配者と仲良くしていた
・町田（パレスチナ自治区ヨルダン川西岸地区）は東京23区（パレスチナ側）に組み込まれ、北海道（アメリカ）と京都（イギリス）が主体の町内会（国連）から監視団が派遣されている。神奈川は「町田（パレスチナ自治区ヨルダン川西岸地区）は我が領土」と言い張っていて超揉めている。神奈川は町田に超立派な県道を勝手に建設し、地元民はテスラに乗って横浜まで通勤して毎日稼いでいる
・事態の改善のために北海道（アメリカ）の道庁部長（大使）が派遣されるが茨城（イラク）や群馬（エジプト）の県知事は道庁部長を相手にせず10時間も待たせる。この道庁部長はもともと東京23区民なので問題解決に熱心だ。上司の北海道知事（アメリカ大統領）はどうでもいいらしく、勤務時間の半分は根室でアザラシを観察している

・実はこの紛争の根源は京都（イギリス）だった。面倒くさくなって逃亡後も自分の都合により足立区民を支援し神奈川にこっそりカネを渡すなど、すごく狡猾《こうかつ》だったが、今のところは神奈川、埼玉、東京23区を推しており、電動スクーター（F‐15）やプリウス（ミサイル）の部品、ぶぶ漬け（潜水艦の部品）などを売りさばいている
・さらに足立区民（ハマス）が東京23区支配の実権を握る前は町田のほうが強かった。だが町田（パレスチナ自治区ヨルダン川西岸地区）は草食系で韓流アイドルに夢中になる軟派さで京都（イギリス）に日和《ひよ》ってしまう。東京23区民の支援は武闘派の足立区支配者（ハマス）のもとに移動してしまった

いかがでしょうか？　少しは関係性がわかりやすくなったかと思います。

イスラエルを完全支持のイギリス

ところでイギリス政府は完全にイスラエル支持の論調です。官庁の建物などはイスラ

エルの国旗の色にライトアップすることが指示され、攻撃直後にリシ・スナク首相がイスラエルにお悔やみを申し上げ、イギリスはイスラエルとともに戦う決意を表明しました。

イギリスと同じく、パリのエッフェル塔や政府機関、ドイツのブランデンブルク門、アメリカのホワイトハウスや主要都市の有名な建物がイスラエルの国旗の色にライトアップするなど、イスラエルカラーで支援を表明しました。ところが日本ではこのような動きは見られませんでした。

さらに日本と異なるのは、イギリスは首相から政府機関、王室までがハマスを「テロリスト」と呼んでいることです。チャールズ国王も攻撃の直後にイギリスのユダヤ教の最高位にあるラビと会談しました。

イギリスの場合、ハマスを「武装勢力」と呼ぶのはBBCや労働党の議員に限られています。たとえばスナク首相は2023年10月にイスラエルを含む中東訪問にあたって、X（旧Twitter）で次のように投稿しています。

「国際社会として、ハマスのテロ攻撃がガザでの恐ろしい人道的危機の触媒にならないようにしなければなりません。地域の安定を確保し、危険なエスカレーションを防ぐために協力します」

またイスラエルのネタニヤフ首相を訪問の際には「われわれとしてはイスラエルに勝利してほしい」とはっきりと伝えました。

その前の週に発生したガザ地区の病院爆破はイスラエルによるものとされましたが、これに関しては、イギリスが国際法に従ってイスラエルの自己防衛権を支持していることを強調し、「市民を傷つけないようにするためのあらゆる注意を払っていることを知っています」「ハマスのテロリストとはまったく対照的で、ハマスは市民を危険にさらそうとしています」と答えています。なお病院の爆破は、のちに誤報と判明しました。

さらにイスラエルの「自己防衛権利」を支援すると述べています。イギリスも日本と同じく中東からの石油に頼ってはいるのですが、このように実にわかりやすい立場をとっています。これはアメリカやフランス、ドイツとまったく同じです。これらの国々は同様に「ハマスはテロリストである」「イスラエルは自衛権を行使する権利がある」と、はっきりと述べているのです。

イギリスとイスラエルの歴史

ではなぜイギリスはじめ西側諸国は、パレスチナ人への人権侵害などが報道されており、世界各地で大規模なイスラエル反対デモが起こり、アラブ諸国はパレスチナ支援を表明しているのに、イスラエルをこんなに支援しているのでしょうか。

これにはイスラエルをめぐる歴史の理解が重要です。

現在のイスラエルがある土地はかつて「パレスチナ」と呼ばれ、現在トルコの母体となるオスマン帝国が支配している場所でした。当時は現在よりもかなり人口が少なく、住んでいる人の多くはアラブ系で、ごく少数のユダヤ人が居住していました。

ほかにもさまざまな民族が住んでいました。多くの土地はまだ開墾されてはおらず、あまり豊かな地域ではありませんでした。ただパレスチナには、イスラム教、ユダヤ教、キリスト教それぞれに重要な聖地があり、宗教的に重要な場所です。

やがてパレスチナに移民することを希望する人が増えてきました。パレスチナに移民することを提唱する人々の考え方の背景には「シオニズム運動」というものがあります。

これは19世紀に盛んとなった民族国家建設のための運動で、世界各地に離散していたユダヤ民族が母国への帰還をめざして起こしたものです。このあたりのことはドイツやほかの国で書籍が出版され、ロシアとヨーロッパに広がっていきました。

ヨーロッパをはじめロシアには数多くのユダヤ人が住んでいました。ユダヤ人は西暦70年のローマ帝国軍との戦争でエルサレムを占領され、世界各地に散らばっていきます。それ以前にもすでに離散状態であり、特に影響が大きかったのがこの西暦70年の追放だったのです。

多くの国でユダヤ人は差別され、たいへん厳しい状況に置かれていました。わりと多くのユダヤ人は近隣国やヨーロッパに散っていきましたが、ヨーロッパでは13世紀には多くの西側ヨーロッパ諸国から追放され、18世紀に商業活動が比較的自由になるまでユダヤ人は迫害され続けます。

追放された人々の多くは東ヨーロッパやロシアに住み着きましたが、なかにはパレスチナに移民した少数の人々もいました。ロシアに住むようになったユダヤ人の多くは、ロシアの西側へ住まなければなりませんでした。これは今のベラルーシやウクライナにあたります。これらの地域での生活は楽ではなかったのです。

とにかくロシアでのユダヤ人に対する差別や偏見は激しく、1881年にロシアでユダヤ人の大規模な殺害が起きるようになると、多くのユダヤ人がロシアからパレスチナへ移民するようになります。各種の学会や政治の世界での重要人物がユダヤ人だったのにもかかわらず、ロシアでの迫害は止まりませんでした。

イギリスにもロシアから逃げてきた15万人が移民し、多くがロンドンの東側に住み着きます。そして新大陸をめざした人々もおり、200万人がアメリカに逃げました。

ちなみに私がアメリカで過ごした大学留学時代の友人の少なからずは、旧ソ連のユダヤ系です。母親がユダヤ人、両親ともにユダヤ人、お祖父さんだけがユダヤ人などパターンはさまざまで、ほかの人種の血も引いています。

彼らは代々芸術家や学者などのインテリゲンツィヤ（知識階級）の出身で、各地域や共和国、モスクワのトップの大学などで学位を取得し専門職をやっています。

私はその友人のうちの一人の実家で、粛清や拷問のリスクの中で命からがら中央アジアに逃げてきたという話を、お祖父様お祖母様たちご本人より直接伺いました。

私の友人はユダヤ人の血を引いているので、ソ連崩壊後の経済的苦境から一家でイスラエルに移民することも考えていましたが、子どもらは兵役に行かねばならず、前線で戦死する可能性が高いために移住を諦めたのです。今よりも戦闘が激しい時期でした。

このような決断をした理由が、今ニュースでイスラエルの動画を目にするみなさんにもおわかりだと思います。

別の友人はモスクワやサンクトペテルブルクに住んでおり、母親はユダヤ系のピアニストでしたが、長年差別に苦しんでおり、経済的に豊かではありませんでした。友人はその後アメリカに移民します。

ご紹介した友人たちは、今はみんな40代です。つまり日本の氷河期世代に当たる人たちです。彼らは歴史の中の時代だけでなく現代になってすら、旧ソ連各国での経済的厳しさや差別のためにイスラエル移住を考えていたほどなのです。現在、欧州だけではなくロシアや旧ソ連でも、イスラエルを非難する運動、ユダヤ人への嫌がらせが激増していますが、つまりそれだけ差別が根深いということなのです。

意外とユダヤ人が多いイギリス

イギリスには11世紀以前からユダヤ人が住み着いていたのですが、差別されたり迫害されたりと悲惨な目にあっていました。ところが18世紀ごろになると商業活動が自由になりました。イギリスはヨーロッパのなかでキリスト教がゆるく、お金が大好きなリベラルな社会でした。だからユダヤ人はヨーロッパ大陸から引っ越してきて、さらに商才を発揮することになるのです。

たとえばイギリスの高級スーパーであるM&S（マークスアンドスペンサー）の創業一家のひとりであるマイケル・マークス男爵はユダヤ系です（ちなみにイギリスに関する本で有名な作家のマークス寿子さんの元配偶者は、マークス男爵のお孫さんです）。そのほかにも金融や学術界、芸術の世界などでユダヤ人は大活躍するようになります。

イギリス北部のニューカッスル近くにはベルギーから移住してきたユダヤ人が住んでおり、戦前や戦中は軍需産業に従事していました。この近くのゲーツヘッドにはヨーロッパ最大のユダヤ人神学校であるゲーツヘッド・イェシーバーが存在し、ベンシャム地区には戦前から超正統派ユダヤ人が住んでいました。それはユダヤ社会としてはヨーロッパでもっとも大きく、リトル・エルサレムと呼ばれています。

そこはうちの家人（イギリス人）の地元が近く、家人のお祖父さんが住んでいる家のお隣は超正統派ユダヤ人の一家が住居を構えています。安息日には何も労働をしてはならないので、お祖父さんが代わりに電気のスイッチを入れてあげたり、お茶を入れたりしていました。

イギリスは基本的に戦前からかなり寛容な社会で、熱心なキリスト教メソジストのお祖父さん夫婦の隣に超正統派ユダヤ人一家が住んでいたりしたのです。イギリスはドイツから逃げてきたユダヤ人を守ることを誇りにしていた人も少なくありません。そのため現在のイギリスでも、ＩＴ業界や金融業界にはユダヤ系の人がかなりいます。私も仕事でユダヤ系の人にずいぶん助けられました。

パレスチナに初期のころ入植し、土地を開墾した人々の少なからずは今のウクライナに住んでいたユダヤ人たちでした。

ウクライナのゼレンスキー大統領もユダヤ系ですし、今のアメリカのハリウッドで活躍するユダヤ系の方々も先祖はウクライナ出身という方がけっこういます。
例えば映画監督のスティーブン・スピルバーグはその一人です。

シオニスト運動の契機

同じころのドイツやオーストリア、ハンガリー帝国、フランスでもユダヤ人に対する迫害は強くありました。彼らのなかには、ユダヤ人はキリストを裏切ったユダの子孫という考え方が強く、これらの国々には熱心なカトリック教徒もいたので偏見を持った人たちが多かったのです。

そんな状況下で１８９４年には第三共和政のフランスで「ドレフュス事件」が起きます。フランスの山間であるアルザス地域の生まれでユダヤ系の軍人ドレフュス大尉がドイツのスパイだとされて、裁判で無期流刑の有罪になってしまった事件です。

この事件の発端はユダヤ人に対する差別があったためだという共和派と、それに反対した王党派で意見が分かれ、国を二分する状態になってしまいました。

この状況をつぶさに見ていたハンガリーのブダペスト生まれである新聞記者テオドール・ヘルツルは大変なショックを受けます。

彼は当時、かなり先進的で多国籍、文化と知性にあふれるドイツで生活していました。ドイツですら反ユダヤ主義の政治家が選挙に当選するなど東欧でユダヤ人が激しい弾圧を受けていました。

またオーストリアでも反ユダヤ主義が盛り上がりつつあることも合わせ、ヨーロッパ社会におけるユダヤ人への偏見の強さや差別の根深さを実感し、シオニズム運動を提唱した書籍も多く出版されます。

これはパレスチナ西岸を中心とする「イスラエルの地」に「ユダヤ民族」が「再定住」し、ユダヤ教の教えであるトーラーとシオニズムの規範に基づく共同体を実現することが「ユダヤ民族」の真の救済につながると主張する考え方です。

国を持たなかった「ユダヤ民族」は自分たちの国を築き、差別がないなかで生活すれば自由に生きられると考えたのです。移住先としてはパレスチナ西岸のほかウガンダや南米も考えられていました。

一方で超正統派ユダヤ人である保守系ユダヤ教の人々は、「ユダヤ人が離散してるのは神さまが決めたことだから、イスラエルに集えっていうのはおかしいんじゃない？イスラエル建国には反対だよ！」と言っている人もいました。これは現在でも同じです。

ヘルツルの考え方はヨーロッパだけではなく、アメリカのユダヤ人にも支援されるようになり、経済的かつ政治的に力を持ったユダヤ人は、欧米で政財界へのロビー活動を展開し、パレスチナへ移住の筋道をつくりあげます。

ヨーロッパ諸国はイギリスがこのようなユダヤ人の動きに対して中心的な役割を果たして「ユダヤ人国家」を建設することを期待していました。

イギリスの三枚舌外交

１９１７年には当時の外務大臣であるアーサー・バルフォアが、イギリスでシオニズム運動の代表であり財閥を所有していたウォルター＝ロスチャイルドに手紙を送り、「パレスチナにおけるナショナルホームの設立」に賛成します。「手紙で約束しましたよ」

という形式でしたが、これをイギリス政府が正式に認めたのです。

これが後に「バルフォア宣言」と呼ばれている〝約束〟で、イスラエル建国をイギリスが支持した根拠になっています。

イギリスがなんでこんなことを勝手に認めたかというと、当時のイギリスは第一次世界大戦で現在のトルコにあったイスラム教の大帝国であるオスマン帝国に勝ちたかったからです。パレスチナの戦いを有利に進めたかったので、認めるほうが有利だったためです。それにとにかくお金が必要だったので、超金持ちのロスチャイルドさんやユダヤ人諸氏からの支援も必要でした。

ところが当時のイギリスは裏では、アラブ諸国の独立を約束する「フサイン・マクマホン協定」をフサインさんと結んでいます。この協定も手紙の交換という形でした。

フサインさんは当時のアラブ世界でもっとも崇敬を受けたハーシム家の当主です。協定の内容は、アラブ諸国の独立を支援するかわりに、イギリスと敵対していたオスマン帝国に反乱を起こしてくれという約束でした。

そのうえイギリスは１９１６年にこっそりと「サイクス・ピコ協定」という約束をし

てしまい、アラブ諸国には秘密にしました。サイクスさんはイギリスの外交官で旅行家、ピコさんはフランスの外交官です。

これは「第一次大戦が終わってむかつくオスマン帝国が負けたら、アラブ人地域をイギリス、フランス、ロシアで仲良く分けましょうね。パレスチナは国際管理にしてみんなで管理してやりましょう」という勝手な約束でした。

この約束には最初は当然ロシアも入っていたのですが、1917年にはロシアで革命が起こり、ロシアの立場としては「帝国主義の悪徳を公開して俺の印象を高めてやる！」という意図があったのです。このお約束から離脱し、「こんな酷《ひど》い秘密の約束をしてました！」とバラしてしまいます。当然ながらアラブ諸国は猛烈に怒りました。

ところが当時の「お約束」が現在の中東の国境や力関係にも大きな影響を及ぼしています。しかもこの適当な「お約束」の影響はなんと「イスラム国」にもあります。「約束は西側帝国主義の象徴である！　今の国境は廃止して巨大なイスラム国をつくれ！」といっているのです。

この3つの「お約束」はお互いに思いっきり矛盾していたので、関わりまくっていたイギリスはいまだに各方面から超批判されているのですが、まったく謝罪していません。いざオスマン帝国が負けると、アラブ地域はイギリスとフランスが委任統治することになります。

委任統治とは、戦争で勝った国はぶんどった地域を植民地にしたいんだけど、植民地にするといろいろ批判されるので「国際連盟から『管理してちょ』と頼まれちゃったの♪」という形式にして実際はめちゃくちゃ支配しているというやり方です。

これはつまり反社組織が本当は「みかじめ料」をとっているのに「おしぼり代です」と言い張っているのと似ています。

こうしてパレスチナは1922年にイギリスの委任統治になるわけですが、「バルフォア宣言」では「国といってるわけじゃないし……。先に住んでるアラブ系の人とか、ほかの民族を差別しないようにね」と言っていたのです。

ところが、いざイギリスが支配しはじめるとユダヤ人がどんどん引っ越してきてしまい、もともといた地元のアラブ系の人たちと大喧嘩が起きるようになります。ドイツがホロコーストをやりはじめるとヨーロッパからさらに大量のユダヤ人が引っ越してくるようになり、もめ事が激化します。

中東で石油も出るようになったうえに、軍事戦略的にこの地域はすごく重要だったので、ユダヤ人とアラブ人双方に良い顔をしたいイギリスは、今度は「アラブ人だけの国をつくったらいいかも⁉」と提案しますが、ユダヤ人もアラブ人も〝激おこ〟になってしまいます。相変わらず困ったイギリスさんです。

駐留していたイギリス軍や住んでいたイギリス人もボコボコ殺されるようになり、もう疲れ果てたイギリスは「委任統治は終わるし、ちょっと適当に問題解決しといて」とパレスチナの統治を国際連合にまる投げしてさっさと逃げてしまいます。

その後、国際連合ではユダヤ人とパレスチナ人の「居住地域を分けましょうね」という取り決めが提案されますが、どっちも激怒して戦争が起きてしまいます。

１９６０〜70年代には、イギリスは石油がほしいのでアラブのほうにせっせと媚を売ります。イスラエルには敵対していた時期もあったのですが、１９６７年の第３次中東戦争ではイスラエルを思いっきり支援。また表立って支援していなかった時期にもイスラエルにはこっそりと武器を売っていたこともあり、相変わらず自分の利益しか考えていませんでした。

イギリスがイスラエルを支援する真の理由

さらにイギリスがイスラエルを支援するのには、このような歴史的な背景のほかにも理由があります。

そのひとつが軍事産業で、イギリスはイスラエルに対して軍需製品を輸出しています。イスラエルで使用されるF-35ステルス戦闘機はアメリカのロッキード・マーティン社の主導で開発されていますが、15%の部品はBAEシステムズやロールスロイスなど、イギリスの会社が製造しています。

それとともにイギリスは核搭載可能な潜水艦の部品も輸出しているのです。こうしてイスラエル国軍（IDF）はドルフィンクラスINSタニン（通称クロコダイル）という潜水艦を運行しています。

ふたつ目が軍事以外の貿易関係で、EUを離脱したイギリスにとってイスラエルは重要な貿易パートナーです。輸出先として大切な相手先なのです。

3つ目はもっとも大事なことで、イギリスはイスラエルを中東における重要な「資産」だと考えています。これはイランとシリアという中東での最大の敵を牽制《けんせい》するためです。イスラエルに軍事的および経済的支援をすることで、直接手を下さずにこの2カ国を攻撃することが可能になります。もっとも大きな懸念はイランの核です。これはイギリスの最重要同盟国であるアメリカの意図に沿ったものでもあります。

サッチャー政権時代には〝塩対応〟をしていたイスラエルには機密情報の共有などは極力避けられていたようですが、近年はイランに対応するためにＭＩ６（イギリス国家情報局秘密情報部）とモサド（イスラエル諜報特務庁）はたいへん近い関係にあるとイギリスの新聞テレグラフは報じています。

イスラエルはなぜハマスの攻撃を予期できなかったのか

現在イギリスで注目を集めているのが、世界最強といわれるイスラエルの諜報機関がなぜ今回の攻撃を予期できなかったのかです。

これは常にテロの脅威にさらされているイギリスにとっても他人事ではありません。この失敗に関しては、前英国情報局秘密情報部（Secret Intelligence Service：ＳＩＳ通称ＭＩ６）長官であるアレックス・ヤンガー卿がBBC Radio 4の「The Today Podcast」で語った指摘が興味深いです。それによると、イスラエルの情報機関が危険を察知できなかった主な理由はふたつあると述べています。

第一に、もっとも大きな失敗は想像力の不足でした。突発的な攻撃を予期できなかった状況は、アメリカが攻撃された２００１年の「９・11米国同時多発テロ」に似たものであったといわれています。

９・11では、アメリカ国籍を持ち、アメリカに居住する一般市民に偽装したテロリストが数年間にわたって綿密な準備をおこないました。アメリカ国内でパイロットとして訓練を受け、民間航空機を乗っ取り、世界貿易センタービルとアメリカ国防総省（ペンタゴン）に自爆攻撃を仕掛け多数の死傷者を出しました。

これはアメリカ政府がまったく予期していない攻撃であり、現実的ではないと思われていた手法だったのです。

今回のガザ地区の攻撃も、イスラエルはイスラエル国防軍（ＩＤＦ）のそれまでの展開によって、ガザ地区のハマスからの脅威は沈静化しているという仮定が前提にあったといいます。つまり油断していたときに突然奇襲されてしまったのです。

これは「自分は大丈夫だ！」という正常化バイアスの考えが、世界最強と呼ばれるイスラエルの諜報機関でさえも防ぎきれなかったということです。そんなイスラエルでさえ抜けがあり、「孫子の兵法」の徹底は難しいということです。

さらに、ヤンガー卿は次のように述べています。

攻撃を示唆するデータはおそらく存在し、あとから振り返ればそうだろうと思われるものであっても、イスラエル側は正常バイアスにとらわれて危機を察知できなかったのだと仮定しているというのです。

またとりわけ重要な問題として、イスラエル側が安全保障に関して情報システムに過度に依存していた可能性もあると述べています。

ハマス側は攻撃計画の作成や実行に関して、デジタル機器や情報通信システムを極力使用せず、口頭、紙、ジェスチャーなど原始的な手法でコミュニケーションをとっていたため、イスラエル側の諜報で兆候をつかめなかったといわれているのです。

これはデジタル社会である現在の落とし穴であるといえましょう。デジタル化により防御が手薄くなっている点は、フィクションの世界が先行している部分があります。

たとえば2023年の『ミッション・インポッシブル／デッドレコニング PART ONE』や2012年の『007 スカイフォール』では、主人公がアナログの手法で戦い、デジタルな敵に勝利する場面が登場します。この例のようにフィクションの想像力から現実社会が学ぶことも多いのです。

ふたつ目の失敗として、ヤンガー卿は「構造上の問題」を指摘しています。

イスラエルがミサイル追撃システムの「アイアンドーム」や国境のセンサーなど、デジタル機器に過度な依存をしていた可能性があるのだといいます。技術は人間の洞察と並行して使用されなければ力を発揮できず、敵の「意図」を探るのには向かず、心理的に安心しすぎてしまうのです。

つまり技術より人間の狡猾さや知恵のほうがはるかに上回っていることを見逃してし

まい、慢心があったということです。

イスラエルへの攻撃は台湾有事の現実性が高まる日本にも示唆すべきことが多いです。いま一度アナログな手法での諜報や防御の仕組みを見直すべきでしょう。

第3章　世界の「実は○○○」を日本人は何も知らない

ルッキズム――海外のほうが100倍ひどかった

日本では最近、人の見た目や表層的な事柄で差別をする「ルッキズム」(外見至上主義)という言葉が知られるようになっています。テレビや雑誌にも登場し、認知度が高まってきているようです。この言葉が示すように、これはもともと英語の言葉でありアメリカやヨーロッパなどの海外で先行して広まってきた考え方です。

そしていつものごとくテレビや雑誌、意識の高い有識者は「海外ではルッキズムはよくないと考えられている！　日本人は人のことを見た目で差別するべきじゃない！　日本は見た目優先で実にけしからん社会である！」といういつもの論調が主流なのです。ところが実際に現地へ出かけてみると、流布されていることと現実はずいぶん違うんじゃないかと思うことだらけです。

このルッキズムサービスをやめようと大騒ぎしている一番の国がアメリカです。アメリカはここ20年ぐらい前から見た目で人を差別するのをやめようというのが、人種差別やLGBTQ差別をやめるという論調に便乗し徐々に広がってきました。

たとえばファッションブランドのカルバン・クライン（Calvin Klein）やビクトリアズ・シークレット（Victoria's Secret）というセクシー系の下着を売っている会社などは、なんと自社のファッションショーや広告に登場するモデルを激変させてしまうという状況になっています。

私が学生だった20年以上前はスーパーモデルの最盛期でした。こういったブランドも身長が超高くスリムで、私が横に並ぶと同じ人間だとは思えないような超サイヤ人的なモデルを採用していました。ところがなんと現在は、体格や見た目の多様性を推進して差別をやめるようにしようというのです。

たとえば超高度肥満でＢＭＩが40以上の人とか、そばかすやニキビだらけで肌がボロボロの人、どう見てもブランドの購買層ではないと想定されるかなり年齢の高い人をモデルにするなど、カオスな状態になっています。

今や昔ながらのスーパーモデルとか萌え系のモデルを探すほうがハッキリいって大変なほどです。これはこういったブランドだけではなく、ヨガウェアで有名なルルレモン（lululemon）、山用品のアイスブレーカー（icebreaker）、石鹸や化粧品を売っているダウ（Dow）という会社でも当たり前になってきています。

イギリスのブーツ（Boots）という大手ドラッグストアの宣伝に登場するモデルは超肥満の人だらけで、脇の下が真っ黒だったり、お肌もボロボロだったりと、ちょっとあまり商品を買いたくないような人が多く起用されています。

各社のくわしい広告効果は公表されていませんが、いくつかのブランドやメーカーには極端なモデルを登場させたあと、徐々に昔風の人を登場させるようになっているところもあるので、売り上げになんらかの影響があったのかもしれません。

なぜこのように強烈なことになっているか――実はこれらの地域はルッキズムによる差別が現実の世界ではかなりきつい、ということの裏返しでもあります。

ルッキズム批判をやたらと推し進めているアメリカですが、超有名私立大学や超一流公立大学に目を向けると、各学校のスクールカーストの頂点に存在するソロリティやフラタニティという学生団体に所属できる学生は金髪碧眼の白人だらけで肥満はナシ。大昔のテレビドラマ「ダイナスティ」に出てくる超大金持ちの人々を彷彿とさせます。

こういった団体は入会に審査があって、入ることができる学生は学業優秀でコネがあり、実家が裕福という人々ばかりです。見た目がひどい学生は入会が許されません。

ちなみにニューヨークシティやサンフランシスコの広告会社やメディア業界、金融業界を見てみましょう。そういった業界の集まりや会社に出向いて驚くのが見た目の良い人ばかりだということです。

お金がある世界は白人主体で、しかもアングロサクソン系で背が高く、歯がビシッと揃い、女性は金髪が多く、スリムでいかにも「お金持ち感」の人々です。ナチュラルメイクに見えても相当なお金をかけ、高額のジムに通っているのがこの人々なのです。

日本はルッキズムに無関心なのか

このような職場で働くのには見た目もよくないと採用してもらえません。ようするにバリバリのキャリア系なので、こうした地域には美容整形の病院がやたらと多いですし子どもの頃から歯を矯正するのが当たり前なのです。

その逆はＩＴ業界でも手を動かす職場、工場の流れ作業、清掃業、運送業、賃金が安い事務職などです。さらにスーパーマーケットの職場では多様性のあるアメリカをみることができます。現場の仕事は一般の体型よりＢＭＩが50以上あるような超高度肥満の人だらけで顔つきもさまざま、歯もガタガタで人種も多種多様です。いわゆる大都会の超富裕層が集まるところにいる白人はほぼ見かけません。

高齢者も働いていますが年齢がネックとなり、あまり仕事がありません。なんとか携わっているのは底辺の清掃業とか駐車場の管理など賃金が低く、きつい仕事ばかりです。彼らは年金がなかったり少なかったりするので働かざるを得ないのです。

こういう業界でルッキズムは無縁で、日本のみなさんが想像するような多様性のあるアメリカ、そしてルッキズムを気にしないアメリカがここには存在しています。

また私の職場の先輩は、実家は発展途上国の大金持ちですが、アメリカで勉強していた人なので、見た目に気を遣わず、しかもケチなので一年中ＩＴ系のカンファレンスでもらった無料のＴシャツを着ています。

だからイタリア人から散々、あいつはダサイとか美的センスがないと文句を言われたうえに仕事でもなかなか協力してもらえないという悲惨な状況になってしまいました。

これはこの先輩が、常識外れでスキルがない人間を見ると「お前はバカだ」とはっきり言ってしまうことも関係があるのかもしれません。とはいえ明らかに彼のファッションセンスが関係していると思います。

このような人は、おそらく日本のエスアイヤー（SIer）とかメーカーの情報システム部門で働いていたら、たいへん評価されていたのではないでしょうか。

日本の職場ではあまり表面的なことには言及せず、真面目にやるかとかスキルがあるかとかけっこうシビアに観察している人がいます。だから職人は一般的に尊敬されます。ようするに見ているポイントが違うのです。

また女性は職場でも学校でも清潔で可愛くしているのは大切ですが、それほどファッションセンスやセクシーさをアピールしなくてもかまわないのでむしろ楽です。最近では学校でもほかの生徒のことを、ブスだのなんだの言っていじめることが昔よりも減っています。日本は全体的に優しい人が多いのです。

しかも近年、日本のテレビにはいろいろな人が出るようになりました。ふくよか系女性タレントやイケメンとはいえない男性も番組のMCになっているし、マツコ・デラックスさんは国民の間で大人気です。見た目よりも喋りとか才能のほうを見ているのです。

さらに日本の政治家は欧米にくらべると見た目に関してはあまり厳しい評価を下されていません。背が低い人が多いし、女性も相当微妙なファッションセンスの人だらけです。あんなダサイ原色のスーツを着た人はほかの先進国にはいません。

また、男性政治家も妖怪のような見た目の人も多く、不倫事例などもプロの女性と以外はあまり聞かないので、それほどおモテにならない方が多いのではないでしょうか。

そして選挙のポスターを見ても、いくつか剥がして家に飾っておきたいと思うような候補者はまったくと言っていいほどいません。これがイタリアやスペイン、フランスの選挙だと、なんとも美しいイケメンの政治家が多く、選挙ポスターを家に持って帰りたいなぁと感じるようなことがよくあるのです。

さらにアメリカやカナダも政治家はイケメンや美女が多いです。みなさんが実際に現地の政治家を見ると、実に背が高くスリムな体型なので驚かれると思います。俳優のような方がけっこういるのです。

つまり、ほかの国ではふだんの生活でもルッキズムがかなり重要視されているので、その裏返しとしてルッキズムをやるなという運動が盛んになってきているだけの話です。

これは人種差別や同性愛に対する差別と同じで、ほかの国は普段から差別がひどく、その反動として反対運動が凄まじく盛況でメディアへの働きかけもスゴイのです。

環境問題に関しても同様で、ほかの国は日本ほどリサイクルや省エネに力を入れてこなかったので、日本よりゴミ処理がずさんでエネルギーは垂れ流しです。だからこそどうにかしようと今になって大騒ぎをしているだけの話です。見た目にはあまりこだわらず優しい人が多い日本では、ルッキズムに関してギャーギャーいう必要はないでしょう。

海外の最新トレンドは窓際族だった！

最近の海外でのトレンドは「いかに働かないか」です。

英語圏でのトレンドワードは「Quiet quitting」――これは「こっそり辞める」という意味で、仕事を完全に辞職せず、ゆるい職場で昇進をめざさず適当にやって窓際状態を維持するという意味です。職場でいかにさぼるか、いかに働かないかが重要です。

日本のメディアでは「海外って定時で仕事が終わり、ワークライフバランスが充実していていいねぇ」と言い張ってきました。さらに海外在住の日本人のなかには同じようなことを吹聴《ふいちょう》している人がいます。それは低賃金低スキルの中以下の職場の話で、上位層や中以上の階層の仕事は過酷化してきているのです。

とくに中の上を越える知識産業は、市場がグローバルで時差が関係ないため競争相手は海外が多く、自国にも次々と外国人が来るので競争は激化し、そして知識が陳腐化するのも早いので常に勉強です。しかも利益追求の圧力が日本よりハンパないので、リストラや事業整理も厳しくてすぐクビになります。

そういうわけで、海外の先進国ではこれまで時間外や深夜までの労働、週末は同僚とのチームビルディング活動で宿泊をともなう社員旅行に出かけるとか、上司の子どもの行事につきあう滅私奉公が当たり前でした。コネと根回しが日本以上に重要です。

そんな働き方に疲れたZ世代を中心に、会社との関わりは最小限にする動きが流行しています。コロナ禍で仕事と収入に重きをおくライフスタイルに疑問を抱くようになったのも大きいです。仕事ばかりしていても感染症でコロッと死んでしまうこともあるのです。

彼らは趣味や私生活を重視して時間外労働を拒否。同僚や上司ともつきあわず職場のイベントは無視、労働を最小限にすることで仕事から距離を置いています。当然、昇進・昇給は望めませんが、生きていくだけの収入があれば満足という人々なのです。

これは実際に世論調査にも傾向が顕著に出ています。

コンサルティング会社のデロイトは、世界46カ国にいる1万4808人のZ世代、さらに8412人のミレニアル世代に調査をおこないました。

その結果、ミレニアル世代の40％、Z世代の32％が仕事でもっとも重視するのが「ワークライフバランス」と回答し、仕事に関して最重要な事柄となっています。2位が「仕事で学べる機会」で29％、3位が「収入」でお金の重要性は低いのが特徴です。

小売やサービス、教育、医療など対面作業の多い業界の人は「今後2年以内に離職したい」という人が40％を占め、就労環境の悪化を挙げています。また30％の人が「もっとも心配しているのが生活費」で、環境問題や失業を超えています。

つまり財政的な不安はあるが、仕事自体よりも生活の質を重視し、ストレスが多い対面の仕事はしたくないという人がけっこう多いのです。ＭＢＡを取得し、金融やＩＴなどで華々しく稼ぎ、長時間の激務が当たり前だった世代とは大きな違いです。

世界的に「猛烈社員」は過去の産物だった

このようなトレンドは先進国だけではなく、なんと中国でも同じです。中国では激烈な労働に疲れ果てた若い世代を中心にソーシャルメディアで「#TangPing」というハッシュタグが流行しています。これは「何もしないで床に横たわる」という意味ですが、幼少期から激しい勉強と競争にさらされた人々がすっかり疲労困憊《こんぱい》で、人生の意味を問い直しているのです。

中国ではとくにスタートアップ企業の労働は苛烈で過労死が出るほどです。「#TangPing」のムーブメントがあまりに人気のため、若い人が労働意欲を失うことを不安視した政府によってこのハッシュタグが中国では禁止され、次々に削除されています。

ところが、この若い世代のトレンドは「合理的」なのです。過去20年間、とくに若年世代や専門職は長時間労働と強いストレスにさらされることで高い収入を得ることが当たり前でした。とはいえ燃え尽きた人が多く、実は得られるものは少ないのです。

たとえばオックスフォード大学とイギリスの通信大手ＢＴによる２０１９年の調査「従業員の幸福度は生産性に影響しますか？」（Does Employee Happiness have an Impact on Productivity?）では、定時で仕事を終え労働を最小限にすることで、むしろ仕事のパフォーマンスは上がっているのです。生活の質が高まり人生の満足度が上がるので定着率も高くなり、会社もハッピーになるという結果が出ています。

仕事や会社に入れ込まず必要最小限のことしかやらず、定時上がりの「Quiet quitting」をめざす従業員は一見問題がありそうです。でも自分の責任範囲がはっきりしており、やるべきことは定時内にきちんと済ませるので信頼に値する人だとの指摘もあります。

このような社員は会社に過度の期待をしないので、昇進や権限についても感情的にならないうえに裏工作をするようなこともなく、コンプライアンス違反もしません。やることが決まっているので透明性も高いのです。

たとえばソフトウェア業界のコムピット（Compt）のジョー・アリム氏は、2022年8月に『ワークライフ』（worklife）のインタビューに答え、「定期的に給料が支払われることに完全に満足している人もいるし、彼らは決められた範囲の責任をきちんと果たすんですよ。この人たちはもっとも信用できる」と述べています。

日本では以前より役所や大企業で、朝から濃い緑茶を飲み一日中スポーツ新聞を読み漁り、窓際状態を維持する趣味人が存在していました。この人々は時代の最先端を歩んでいた「人生の意味を理解している人々であった」ということです。日本はポストモダン社会で、なんでも先取りしているのです。

アメリカの経営者は実は昭和スタイル

Twitter（現X）の買収で話題になっているイーロン・マスク社長。

私は「ツイッター廃人」（ツイ廃）なので、彼の改革がどのように進むか目が離せず、毎日欠かさずイーロン・マスク社長のツイートをウオッチし、音声を使ったリアルタイムの会話機能であるTwitterの「Space」も逃さず聞いていました。

彼の発言に触れれば触れるほど大変おもしろいことがわかります。

欧米の経営者はかなり表層的で、軋轢《あつれき》を生みたくないので外交的な発言ばかりします。ようするに綺麗事が大好きなのです。なぜなら綺麗事を言っておかないと、ありとあらゆるところに敵をつくり攻撃されるからです。

これらの国の企業はCSR（企業の社会的責任）や差別反対、環境への配慮などに熱心なように見せかけています。あくまでリスク回避のためです。とはいえ本心で思っている経営者は多くはないでしょう。なにしろ会社で実際に働けば利害関係バリバリ、思いやりなど一切なく冷徹で、とにかく自己中心的だからです。

ところがマスク社長はXでの発言もSpaceでも実に単刀直入。良いものは良い、良くないものは良くないとはっきり言います。見ず知らずの一般ユーザーの質問にも返答します。まるで大学のイベントやラボのメーリングリストです。彼のタイムラインにいると、一般ユーザーの自分も同じプロジェクトにいるような気になります。

私はこんな経営者を見たことがありません。納得しないことがあれば、Appleの社長でもマスコミでも、いきなりXでメンションを飛ばして質問します。単刀直入です。相手の会社にたった一人で出かけていって話をします。まるで昭和の中小企業のおやじさんではないですか。こうして彼は以下のことをXでやっています。

・経費の無駄遣いはするな
・無駄な会議はやめろ
・嘘をつくな
・透明化しろ
・会社に来てみんなで一生懸命働け
・製品の品質をアップしろ
・ユーザーの声を聞け

作業着にしているオタク向けのTシャツで、ピザとSFが大好きな社員と汗を流し、オフィスのソファで寝て、ラーメン二郎とカフェイン抜きのダイエットコークが大好きで、メッセージは一行のみ。ユーザーになにか頼まれれば「俺がやってやるよ」という。

世界一の富豪は、実は昭和スタイルな熱血社長だったのです。

ハイテク社長の本質は、世界一速いバイクをつくりたかった本田宗一郎、外に音楽を持ち出したかった盛田昭夫でした。この熱意と泥臭さは、零細自営業者やイラストレーターなどを少額決済が可能になったことで自活できるようにし、地上に戻ってくるロケットを創り出し、自動運転が可能なトラックを走らせているのです。

これまでもてはやされてきた金融ゲームやアボカドスムージーを飲みながらヨガをやるマネジメントは終焉《しゅうえん》を告げるでしょう。彼らはタピオカ入りドリンクを飲みながら、差別と環境に関するおしゃべりをするのに多忙すぎて変革をもたらさなかったのです。

ウクライナで命をかけて泥だらけの塹壕《ざんごう》で戦う人々と同じように、世界を動かすのはシンプルさ、真摯《しんし》さ、熱意、正直さなのです。

欧米でも若い人たちに日本の昭和歌謡やシティポップが流行っていますが、それは彼らがダサいけれども熱意があった時代に惹かれているからではないでしょうか。

イギリスの囚人はドローンでステーキ肉を刑務所内に〝密輸〟する

イギリスでは東ヨークシャーのフル・サットン（HMP Full Sutton）刑務所が3番目のスマート刑務所として2025年に開設されます。イギリスにはすでにふたつのスマート刑務所がオープンしています。

スマート刑務所はフィンランドやアメリカではすでに開設されていますが、イギリスの場合は刑務所のセキュリティにさまざまなテクノロジーを導入している点が特徴です。とくにドローンによる物資の配送や進入を防止したり、高性能なボディスキャナーを導入したりしています。

なぜこんなテクノロジーを導入しなければならないかというと、イギリスの刑務所ではドローンによる麻薬や武器、スマートフォンなど刑務所への〝密輸〟が後を絶ちません。また訪問者や受刑者が体内にさまざまな武器や物資を隠して持ち込んでしまうことがあるからです。

なかにはドローンでステーキ肉を密輸するツワモノまでいるようなので驚きです。

イギリスの刑務所はほかの政府の設備と同じく人手不足で監視が行き届いていません。そこでテクノロジーを導入して効率化を図ろうというわけです。

さらに興味深い点は、こういった刑務所の中で各受刑者にタブレットやクロームブック（Chromebook）を提供し、刑務所内でデジタルスキルをアップしたり個別の学習を進めてもらったりすることです。

しかもなんと、こういったデバイスには履歴書のテンプレートも入っていて刑務所の中から外の仕事に応募ができるのです。

イギリスがなぜこのような先進的かつ過激なことをやるかというと、出所後1年以内に仕事をみつけることができる受刑者は20％にすぎず、44％は1年経っても失業したままだからです。仕事がないために再犯率がきわめて高く、更生する確率が低くなるのです。

イギリスをはじめほかの先進国では犯罪者の平均年齢が日本にくらべて低く、また知識産業のスキルがないと仕事を見つけることはかなり難しいです。よって、このような取り組みは過激というよりも実社会の変化を反映したものといえるでしょう。

それ以前にドローンでの薬物とかステーキの輸送を監視してやめさせられないのかと思うのですが、とにかくイギリスはセキュリティに道具を使いたいようです。その一方で囚人が特殊詐欺をやる可能性などは考慮していないようです。

世界の人々が度肝を抜かれる日本の安全性

先日、日本では銀座の目抜き通りにある高級宝飾店が真昼間、強盗に襲われるというショッキングな事件がありました。私はこの事件をニュースで見ていて、私が上梓した書籍の『世界のニュースを日本人は何も知らない４』でも指摘している日本の平和ボケをあらわす典型例のひとつだなと感じました。

まず、このお店の前を事件の最中に何事もなかったかのように歩いている人々がたくさんいたことです。犯人たちはアノニマスが被っているガイ・フォークスのお面を付けていたので、テレビの撮影か何かと思ってしまった人がいたようです。コスプレした集団にビックリ！　という方もいたのではないでしょうか。しかもその方々が強盗たちの作業をスマホで撮影して眺めているのです。

私はこれを見ていてゾッとしました。

ヨーロッパではこういった強盗集団やテロリストが当たり前のように爆弾や化学物質、銃、ナタや斧《おの》を持っているのが前提です。だから店舗に近づいたり眺めたりするような人はいません。咄嗟《とっさ》に素早く取るべき行動は、まず逃げることです。

ところが日本人はこういう事件に遭遇することに慣れていませんから、いかに危険性が高いかということがわかっていないのです。犯人がそういった危険物を持っていると指摘すると、冗談を言っていると思う日本人があまりにも多いです。でも、これは海外の強盗事件や銃乱射事件を見ていればすぐに納得できるはずです。

またお店のドアを閉めようとしていた女性がいましたが、これも危険きわまりない行動です。犯人が爆発物を持っていた場合は大惨事に巻き込まれてしまいます。口封じのために化学物質や銃、刃物で危害を加えてくるからです。

2点目に日本人はコスプレに慣れてしまっているあまりに、街中の怪しい格好をした人間に警戒心がほぼないことです。ヨーロッパやアメリカではコスプレの下に銃器や武器を隠して人を襲う犯罪者がいます。だから街中でコスプレをして歩いているような人間は職務質問されることがめずらしくありません。

ハロウィンの時期であっても仮装した人間の近くには近寄りません。覆面で顔を隠しているので犯罪に及ぶのが簡単だからです。子どもにも「仮装した人間には近寄ってはいけない」としつこく教えます。安全なコスプレをするのは学校や会員制のクラブなど限定した人が出入りできる場所だけです。どうかコスプレした人間の中には危険人物が少なくないということを認識してください。

3点目に銀座の動画に映っていた人々の少なからずはロングスカートやハイヒールを身につけていたことです。手にはバッグや手提げ袋を提げています。つまり、この格好は襲われた場合に逃げにくいのです。

欧米の街中では女性もかなりスポーティな装いをしていることが多く、ヒールを履いている人は多くありません。これは犯罪があった場合に走って逃げるためです。

外国でそれだけ多くのテロや乱射事件に遭遇していれば、なぜかということはおわかりになると思います。さらに外国ではリュックを背負っている人が多いです。手提げカバンでは走って逃げる際に邪魔になります。命に関わることですからファッションを優先することができません。

4点目に犯人の中に未成年がいたことに驚いている方がいるようですが、これはヨーロッパでは何年も前から当たり前のことです。とくに私が4年間住んでいたイタリアでは強盗や空き巣の少なからずは未成年です。未成年であれば罪が軽くなるために指示役が作業をやらせるのです。簡単に無罪となるので、また犯罪を繰り返します。

事実、私の知人である日本人の家もフランス人の家も、夏のバカンス時期に空き巣に入られて部屋が空っぽになるほど物を盗まれましたが犯人は複数の未成年でした。海外からやってくるプロの窃盗団も少なくないのです。

彼らは短時間で作業する訓練を受けているので実に鮮やかに作業をクローズさせます。ただし武器を持っていることも少なくないので絶対に抵抗してはいけません。

景気は今後ますます悪化していくので、こういった事件は増えていくはずです。日本のみなさんには、安全はもう過去の話だということを前提にしてください。そして普段から逃げやすい服装やカバンにし、怪しい人間をなるべく早く察知する勘を磨き、店舗やオフィス、自宅の物理的なセキュリティを強化していただきたく思います。

先日の銀座の件では逮捕に当たった警官の方々が丸腰に近い状態なのにも驚きました。警察官の方々の命を守るため、どうか日常的にボディアーマーなどの防護や、身体に装着するカメラのボディカムなどの装備に投資をしていただきたいのです。日本はもう安全な国ではなく有事も迫っているように思われるからです。

日本の街中や店舗でセキュリティが緩すぎる理由とは

私がこの事件を見ていてとても驚いたのが、ひとつには日本では高級品を扱っている銀座の店舗はセキュリティ対策がかなり緩かったことです。よく考えたら店舗に入店するのに日本だと予約が必要ない場合が多いようです。

ヨーロッパは高級店の場合、事前予約が必要なケースがけっこうあります。もちろん入店の前には審査が存在しています。そして冷やかしや一見《いちげん》さんはお断りの場合があるのです。これはちゃんとした見込み客に時間を費やしたいという目的もありますが、もっとも重要なのはセキュリティの確保です。日本はこれまで性善説でやってきましたが、ヨーロッパ並みにセキュリティをタイトにするべきではないかと考えています。

２点目に日本の店舗でも街中でも監視カメラや顔認識が驚くほど活用されていないことです。ヨーロッパで使われている顔認識技術やセキュリティシステムの少なからずは日本のメーカーが提供しています。中国製はセキュリティ的に問題があり安全保障の観点からも使うことができず、空港や政府設備などでは日本製が活用されています。

ところが銀座の事件を見ていると、日本はヨーロッパほど活用していないようです。とにかくヨーロッパもアメリカも機械化をますます進めているので、店舗も街中も監視カメラだらけです。もちろんテロリストや犯罪者の洗い出しにはＡＩがかなり活用されています。ロンドン市警では２０１６年から大々的な実証実験がされており、いまや地方の警察でもＡＩ活用は当たり前です。

とはいえヨーロッパの場合はＥＵ一般データ保護規則のＧＤＰＲがありますし、イギリスはＥＵは脱退しましたが国内法でＧＤＰＲに準拠する法律があります。個人情報の保護に関しては日本よりはるかに厳しいのですが、犯罪抑制にはＡＩや顔認識が使用可能なのです。

なぜ規制がはるかに緩い日本ではできないのか——これは単にセキュリティ対策の投資が十分ではないというのと、国内で反対する声が大きいからです。

それに対し、プライバシーではるかにうるさいヨーロッパの人々は、テロ防止や安全性を優先させるので反対の声はそれほど多くありません。日本は技術があるのに実装がなかなか進みませんが、このような凶悪事件が今後も増えていくことを考えると、優先順位はなんなのかもっと真剣に議論するべきでしょう。

その一方で導入にあたりイギリスのロンドン市警は、実証事件の結果やアルゴリズムについての報告書をＷｅｂで一般公開しています。日本の警察はじめ交通機関はこのような「わかりやすい実証実験の情報公開や報告書の公開」がありません。一部公開していても一般の人が読みたいと思うような形態ではないとか、実に伝わりにくい内容です。これでは説得できなくて当たり前です。

さらに日本は「なぜ導入するのか?」「その効果は何か?」といった説明がうまくないように思います。コミュニケーションが下手だなぁという印象ですが、治安維持を円滑に進めていくには、このような分野での明確な説明能力が必須です。

イギリスの場合は政府や警察も文書作成の専門家がいたり、外部の編集者やコンサルティングファームに外注したりアドバイスを受けるのがごく当たり前です。日本の警察や交通機関にもコミュニケーションの重要性を理解していただきたいです。

落ちこぼれをまったく救済しない海外の学校

小学校低学年であるウチの息子が通うイギリス進学校系の学校で徐々に落ちこぼれ組の生徒が出始めています。ダメな生徒はほかの生徒が通常の授業を受けている間、「特殊授業」に出席し、超簡単なスペリングや算数を復習しているのです。

ダメ系と優秀系はともに授業時間は同じで同じクラスに所属していますが、学ぶ内容はまったく違います。成績不良な生徒が算数や英語というコア教科で、すでにほかの生徒と違う特殊指導を受けています。これはレベル別指導ではなく、そのクラスの最低レベルからも弾《はじ》き出されてしまい、「特殊授業」を受講させられているのです。

このような分類の元になっているのが試験の結果です。イギリスは日本の幼稚園年長組に当たる年齢から全国統一試験があって、偏差値がガッツリと出てきます。国はそのデータを元に教育施策をつくり、子どもの進学はその偏差値にだいたい沿う感じになっています。これによって進む大学や将来的な収入も大まかに推測できてしまうのです。数学、論理分析、国語（英語）と細かく偏差値が出て、その推移は学校側が把握し、進学校の場合は細かい個人型の学習計画を立てます。全国統一試験でガッツリと偏差値が出るので、ダメな子ども、ダメな学校、ダメなクラスの結果がはっきりわかります。

イギリス人である家人に聞いたら、これは昔からそうなっているようです。イギリスは自由な教育どころか日本よりもはるかに厳しく、低年齢で能力別の選抜をやってしまう実にドライな国だということを知りました。

このような全国統一試験や能力別指導に反対はないのかと家人に聞いたら、「反対するわけないだろう。国がデータを収集して国民の知能レベルを検証し、資源を適切に配分するのは重要なので当たり前になっている」というのです。

しかも資源は優秀な層に配分し、見込みがないもの、ダメな地域や学校は予算をどんどん減らすのが日常的だというのです。かなり現実主義で、冷徹なイギリスという国の一面がよくわかります。決して平等主義ではないのです。

これは私立の場合は教員の力量評価にもつながっているので、教員は指導にも熱が入ります。イギリスは、私立の小・中・高校の教員も実績を出して転職し、給料を交渉するのが一般的です。自分の〝成果物〟である生徒の実績が大変重要なのです。公立は私立ほど給料の変動幅がなく、交渉の余地はありませんが、より「危険性の低い」学校などに転職したい場合の材料になるので熱が入ります。

だから私立も公立も自分が担当するクラスの生徒は成績が良いことを希望し、学期の開始前には成績が芳しくない生徒の押し付け合いの争いが水面下でおこなわれます。妥協して成績が良い生徒と悪い生徒を混在させたクラスになることもあり、学校運営の内部の政治的な力加減の難しさを感じることもあります。

しかも有名私立、進学校系私立の場合はこういった統一試験での足切りがあり、なんと希望しても試験の結果が悪いと入試を受けさせてもらうことすらできないのです。

これに関して保護者が文句を言うことはいっさいできません。なにしろ私立の学校なので独自の運営方針があるからです。全国統一の偏差値や模擬試験の結果だけにワーワー騒いでいる日本の生徒や親はずいぶんと開放的な環境で挑戦することができるので、相当気楽なものです。

しかもイギリスの場合、試験成績が悪いと、さまざまな証拠を積み上げて遠回しに退学勧奨されたりします。アングロサクソン系の多国籍企業が証拠を積み重ね、能力が劣る社員を退職に追い込んでいくやり方とほぼ同じです。あとで訴訟にならないように「この人が、いかに能力がないか」というデータを集めるのです。

かつて私はこのような社員のパフォーマンス指標を作成することに携わっていたので、学校がやることは手にとるようにわかります。だから生徒を見ていると、この子は来年落第だなとか、そのうち転校だなというのがだいたい推測できてしまうのです。

日本と異なり、学校が生徒の面倒をみるという感じではなく、生徒は良い実績を挙げ、学校に貢献する人間でないと残してもらえない仕組みになっています。

だから学校の仕組みをみていて、なぜイギリスやアメリカが強いのかというのが実によくわかりました。

良い人間を早期に選抜し、ダメな人間は合理的な理由で組織の外に出す。決断は実に早く冷酷です。感情ではなくデータでそれをやるのです。小学校でこの調子なので上位層が日本より強いのは当たり前です。企業であれば収益に貢献しているかどうかで従業員を評価し、ダメなら外に出す。なんとも実にシンプルなのです。

日本のマスコミや人文系は左翼が多いので、これまでアメリカやイギリスの教育は「自由を尊重」とか「算数がゆるい」というごく一部のヒッピー系学校の教育を抜き出して全体のように伝えてきましたが、実態はまったく異なり実にシビアです。

これまで私はアメリカの大学と大学院で教育を受け、家人もイギリスの大学の教員です。同僚や仕事関係者はアメリカやイギリスの大学と兼務の人もいたので、大学のことは把握していましたが、初等教育がこんな厳しくなっているのかと毎日が驚きです。

日本の「欧米は試験や詰め込み型教育を否定している」という報道はいったい何だったのかと感じていますが、このような初等教育における徹底的な現実主義、優秀者を早期選抜して資源を集中させることがイギリスの強みの源泉だと感じた次第です。そしてイギリスの遺伝子を受け継いだアメリカも似たようなことをやっています。

XやMeta（旧Facebook）での超高速なリストラも日本の感覚ではビックリですが、これらは当たり前の「選択と集中」を合理的にやっているにすぎないのです。

第4章　世界の「超ローカルニュース」を日本人は何も知らない

AIで失業するケニアの宿題外注業者

日本のみなさんは、海外の学生は生真面目に宿題をやっていると思われるかもしれませんが、実はけっこうセコいことをやっています。

アメリカとヨーロッパ北部では宿題や論文はかなり前からパソコン（ＰＣ）を使ってされており、早い学校はなんと20年前から授業の一部がオンラインに移行しています。私が１９９８年から２０００年に通っていたアメリカの大学院でも、すでに授業の一部がオンラインを採用しており、遠隔で受講できるようになっていました。

授業で使う教材は授業用のシステムで配信され、授業内での議論の一部はチャットを使い、当然ながら宿題や期末論文もＰＣで作成しシステムにアップロードして採点されます。アメリカもイギリスも最近では小学校の低学年から個人所有のＰＣで宿題をし、学習管理もシステムでやるのがめずらしくありません。

小学校１年生でもパワーポイントを使ってプレゼン資料を作成し提出するのが当たり前なので、日本のビジネスパーソン顔負けの資料づくりをすることができます。

しかも進学校だと受験対策の課題や模試もオンライン活用です。ＡＩが進捗や弱みを把握して生徒ごとの個別カリキュラムを設計し、先生や保護者は正答率や弱みを把握する効率的な指導方法になっています。そんなシステムを英語圏全体に展開しているのでスケールメリットがあり値段は手頃です。いまでは紙の問題集など使わないのです。

このようにデジタル化した教育環境には弊害もあります。先生の目の前で作業するわけではないので、不正や、あってはならない省略化も可能です。とくに宿題や論文執筆を外注する生徒も少なくありません。

英語圏ではけっこう前からケニアなど新興国の激安宿題代行業者に課題を外注してきたのです。こういう宿題や試験の外注を英語圏では「contract cheating」（契約不正行為）と呼び、高校や大学ではすでに大問題になっており対策がとられています。

なにしろ新興国は現地の物価も賃金も安いので、３００円とか１０００円ぐらいで宿題をやってくれます。とんでもないケースでは博士論文の執筆まで外注する学生がいます。小学生でも外注しているので恐ろしいことです。

ケニアの場合、２０２１年の失業率は５・７％と高く、貧困ラインで生活する人が

25・8％もおり、生活が厳しいのでオンラインで外貨を稼ぐのが必須といっていいくらいです。またケニアには先進国の不正防止法などのペナルティが適用されないので、仕事を引き受けることは違法ではないのです。

ケニアは全世界のオンライン試験不正の1％を占める外注先ですが、そのほかにエジプトやフィリピンなどにも受注する業者がいます。

ところがこの不正海外オフショア、いわゆる人件費の安い海外企業などに委託することでは世界に強力なライバルが登場しているのです。

オンラインニュースサイト「レスト・オブ・ワールド」（Rest of the World）2023年4月21日の報道によると、ケニアのナンユキに住むコリンズさんは最近まで月に900ドルから1200ドル、日本円で約13万円から18万円をこうした代行業で稼いでいました。

エッセイ（小論文）を書くだけでなく、オンライン授業で生徒のIDを使ってなりすまし、生徒の代わりに授業のディスカッション（討論や議論）までこなしていたのです。

以前は300ワード程度の短い小テストを一カ月に80件程度こなしていたのですが、

最近では発注数が激減し、収入が半分程度になっているということです。

最近は海外へ外注する替わりにChat-GPTなどのＡＩを使う学生が激増のため、業者の商売がお手上げ状態なのです。長い論文や博士論文などの作成はＡＩではまだ困難のようですが、１００ワードから３００ワード程度の短い文章やその回答、小テストであればChat-GPTが回答できるし正答率も悪くありません。

たとえばイギリスの国立大学各校はレポート代行業者に対する注意や対策方法、罰則のルールを明確に提示しています。名門校のひとつであるアバディーン大学の場合は、レポート代行の発見方法として、課題の編集時間や編集者の精査、文章や文法の一定性、すでに提出されたほかの課題との比較などを検証方法として提示しています。

罰則のレベルは不正の程度によりますが最悪の場合は退学です。実際すでに退学となっている学生が各校にいます。

またこのような不正を防止するために、各大学では成績評定の方法や課題の出し方まで変化しています。従来の持ち帰り型の小論文や小テストの替わりに、対面での議論、口頭試験、ブログへの投稿など、リアルタイム性と対面式を重視するようになっているのです。試験問題も毎年変える必要があり、教員の負担はかなり増加しています。
このようにChat-GPTが教育の方式まで変えつつあるのです。

暴力的すぎるイギリスの女性

日本では20年ほど前から男性が女性に暴力を振るう、いわゆるＤＶ（家庭内暴力）が認知されるようになってきました。ところが、その反対に女性から男性への暴力があることはあまり知られていません。

たとえばイギリス政府の刑務所改革のトップであるシェリー・スペンサーさん45歳は3人の子どもの母親ですが、夫リチャードさんを20年にわたり毎日殴りつけながら卑猥な言葉を発していたために懲役４年を求刑されました。

シェリーさんは床に排便し彼にそれを掃除させ、ワインボトルで殴りつけて彼の耳に永久的な障害を残しました。暴力には蹴る、殴る、打つ、噛む、唾を吐くことも含まれます。そしてリチャードさんのノートＰＣや携帯電話を破壊し、服をズタズタに切り裂きました。

シェリーさんに4年の刑を宣告し、夫リチャードさんへの無期限の非接触命令を出したケイト・レイフィールド判事は、「私が見たなかで最悪の支配的で強制的な行動の一例だ」と述べています。刑務所改革のトップがこの凄まじい暴力を振るっていたのも驚きですが、女性でもここまでやってしまうのがなんともイギリス的です。

イギリスでは女性からの男性に対する暴力はめずらしくありません。幼少期から女性は体がかなり大きく、男児よりも大きいことがビックリするほどではないのです。また性格が日本の女性とは異なり、尽くすとか、おしとやかという概念がありません。攻撃的な人が多く、成長すると酒を浴びるように飲んで路上で放尿や脱糞をしたり相手を殴りつけたり、はたまた薬物に手を出す女性もいます。

身体は大きく体重が100キロを超えるような女性もめずらしくありません。学校でも女子が男子を殴りつけたりする「いじめ」があり、集団でやるのでひ弱な男子は逃走するスキルが重要です。さらに気質も荒く、犯罪に走る女性も少なくありません。

たとえば2023年9月にロンドンのペッカムにあるインド系経営者の「ペッカム・

ヘア・アンド・コスメティックス」（Peckham Hair & Cosmetics）という美容用品のお店では、アフリカ系女性が万引きをして店主に抵抗しました。店主と揉み合いになり、店主は女性を羽交い締めにして反撃し、それがネット上で拡散されたのです。

それにより店は「人種差別主義だ」「アフリカ系女性を放せ」と批判され、フォーエバー・ファミリー・フォース（Forever Family Force/FF Force）を中心とする人種差別反対団体やデモ隊が集結し、一時期閉店する騒ぎになりました。

この動画を見ると、女性は身体が大きく獰猛さが尋常ではなく、実際に殴りつけています。女性が強くなると、このように一筋縄ではいかない人も増えるという一例です。

米スクールバスに乗るにはグリーンベレー並みの訓練が必須

日本の意識高い系の方々のなかには「海外ではいじめがない！　日本はいじめがあってけしからん！」と激怒している人がいます。

ところが海外でもいじめは当たり前どころか、日本人の予想をはるかに上回る「修羅の国」であることを理解していない人がかなりいます。事実を知っているのは実際に海外に住んで子どもを持った人や、学校で教えている方のみでしょう。

たとえば2023年1月。アメリカのバージニア州に住むテイラー・ブロックさんの息子の7年生、日本でいうところの中学1年生になる男の子のお話です。

通学バスの中で、身体がかなり大きく体重もこの男の子よりはるかに重いと思われるアフリカ系の女子生徒に首を絞められる騒動の一部始終が映った動画がネットに出回り話題となりました。ブロックさんの息子さんの首は、かなり激しく絞められたので跡が残ってしまうほどでした。

息子さんは数カ月前にもこの女子生徒におもちゃを盗まれ、同乗者の証言によれば、スクールバス内でこのような暴力を振るわれることは二度目でした。泣きながら帰ってきた息子さんの傷跡は実に痛々しく、単なる子ども同士の喧嘩ではありません。

息子さんがここまで酷いいじめを受けたことにショックを受けたブロックさんは、その心情をオンラインニュースサイトの「モドマ」で告白しています。

ブロックさんは動画と息子のけがを学校の関係者に見せましたが、処罰がなされるかは明らかにしませんでした。

ショックを受けたブロックさんは警察に報告書を提出し、裁判所からこのいじめっ子が息子さんに50フィート（約15メートル）以内に近寄ってはならないという保護命令を取得しました。ところが裁判官はこのいじめっ子がまだ学校に通うことを許されていて、学校が何もしないことに驚きました。

数週間後、息子さんが教師の一人からメールを受け取りますが、息子さんがいじめの事件に関与していた生徒であることを知らなかったと書かれていました。つまり学校側は校内でこの事件を共有せず、担任の教師に通知すらしなかったのです。

ブロックさんの記事や動画には多くの人がコメントを寄せていました。それらによると、子どもが学校でいじめられても学校側は何もしないことが多いのに不満を持つ保護者だらけなことがわかります。

単なるいじめだけではなく、こうした命に関わるような暴力、性犯罪、虐待なども起きています。学校側は管理不行き届きや責任を認めたくないために被害者泣き寝入りがたいへん多く、親は子どもを転校させることも少なくありません。アメリカでは最悪の場合、銃や薬物が登場するので、子どもの命を守るのに気苦労が多いのです。

これはイギリスやカナダ、ヨーロッパ大陸もそれほど違いはありません。銃が規制されている国だらけなので銃撃の心配はそれほどでもないです。絶対にないというわけではないですが、学校でのいじめや暴力性は日本とは比較にならないです。

無視するとか嫌なことを言うというレベルではなく、反社顔負けの集団での暴行や強姦を平気でするし、ときには刃物が使用されることもあるのです。

事実ロンドンでは小・中・高校での刃物やその他の武器による暴力が大きな問題になっています。そのため市長のサディク・カーン氏は「ロンドンの学校にはもっと金属探知機が設置されるべきだ」と述べています。

南部のサウス・ノーウッドにあるハリスアカデミーという高校では、校内へ入るのに業務用金属探知機のアーチを通過する必要があります。その学校では不定期に生徒のロッカーやカバンの中身チェックが実施され、武器などの危険物が押収されることもあるのです。

この学校の生徒はアフリカ系や南アジア系など人種的少数派が90％で、イギリス政府教育省の評価では「良い」とされています。

これはロンドンの治安が悪い地域や貧困地域ではごく当たり前の光景です。ただしサウス・ノーウッドは底辺エリアというわけではなく、金融街への通勤圏で周囲は数億円単位の家もあり、公営住宅や生活保護の人と富裕層が混在して住んでいるのです。

日本のいじめも問題になっていますが、海外のいじめは暴力そのものなので日本とはまったく比較になりません。

配車サービスを利用するのは命がけ

日本では最近Uber（ウーバー）のように、一般の人も自分の車を活用してアプリ経由でタクシー業をやることができる「配車サービス」を解禁するべきだということが話題になっています。

ところが、すでにこんなサービスが先行しているアメリカやヨーロッパではサービスの実態が熟知され、そんな気軽にやるものではないことが知られています。

配車サービスの危険性がよくわかるのは最近アメリカで起きた事件です。

２０２２年２月、アメリカのペンシルベニア州で４人の子どもがいるクリスティーナさん38歳は「子どもがいるから助けて！」と命乞いしたものの、客を装ったアフリカ系男性の強盗に銃で頭を撃たれ即死してしまいました。

クリスティーナさんは、子どもの学校への送り迎えや宿題をみる合間の空き時間や、旦那さんがお子さんを寝かしつけてくれている夜間に生活費の足しにするためUberで働いていました。とても働き者ですばらしく優しい方だったそうです。

銃撃された際の音声が公開されているのですが、クリスティーナさんの命乞いの声があまりにも悲惨でした。犯人はまるでアリを殺すかのように彼女を殺害してしまいました。

このような事件を知ると、なんでアメリカやイギリスの人がタクシー運転手とか店舗でモノを販売するような、人と接する仕事をしたがらないかよくわかるでしょう。

それは危ないからです。だからＩＴ系とかコンサルタントとかプログラマーなど在宅の仕事をしたがる人が多いわけです。

配車サービスをめぐっては各国で議論になっています。

イギリスの場合は運転手による性的暴行や窃盗、逆に乗客による暴行や強盗、他人の免許証を使い運転手が無免許だった運転手のなりすましなどの事件や、整備されていない車両の使用、事故発生時の補償の曖昧さ、といった問題が多発しています。

さらには運営業者による報酬の中抜きがひどいため、低賃金の運転手が激務で病気になったり、疲労で事故も頻繁に起きていたりしていたのです。

２０２１年には裁判所において「Uberのビジネスモデルは破綻している。Uberはただの予約代理人ではなく、アプリのユーザーとの間にタクシー輸送の契約を結び法的な責任を負う法人」との判決が出ました。

それまではただの「アプリ提供会社」と主張していたのに法的な責任が普通のタクシー会社とほとんど変わらないです。またこれより前のイギリス最高裁による判決では、Uberの運転手はイギリスの法の下では「労働者」との判断が下されています。

Uberで働く人も最低賃金法が適用され、有給休暇も提供されなければなりません。

この結果、最近Uberは既存のタクシー会社とくらべて料金がそれほど安くはなくなりました。消費者側も質や安全性を求めるので、ブラックキャブ（ロンドンの黒塗りタクシー）やそれより安いが質は下がるタクシーのプライベートハイヤーに回帰したりしています。

このような実態はイギリスでは２０１４年から続いているもので、Uberやほかのシェアリングサービスで働く人は「雇用されている人かどうか」「自営業なのか」ということが重要視されています。これは労働者を保護し企業の横暴を防止するために重要なことですが、日本では働く側が問題を避けたがるのであまり盛り上がっていません。

イギリスではこのようなシェアリングサービスで働く人の組合もあり、Uberの賃上げや運転手の権利保護に関しては、「アプリ運転手と配送者組合」（App Drivers and Couriers Union）が大活躍しています。

ところで日本のタクシーはおそらく世界一清潔です。車両は完璧に整備され、運転は安全、ドライバーのほとんどは日本語をきちんと理解し、日本語のタクシー免許を持ったプロのドライバーさんで、犯罪はないに等しいです。

しかも料金はほかの先進国の半額から三分の一なのです。最近ではUberとほとんど変わらないアプリでも呼ぶことができて、社内にはモニターまであり、カードや電子マネーでの支払いもほぼ完備している状況です。それなのに、なぜ海外ではもはやオワコン化している配車サービスを導入するのか意味がわかりません。

海外では飛行機内の犬の屁が臭すぎ航空会社を訴える

海外では予期しないことで会社を訴える消費者がいます。一例として、なんと飛行機の中で犬の屁が臭すぎたので「お前のせいだ」と航空会社を訴えるカップルが登場しました。この夫婦の主張によれば、「おならをする犬」によって長時間の飛行が台無しになったというのです。

それはパリからシンガポールへ旅行していたときのことです。ふたりが予約し確保したプレミアムエコノミーシートの隣で、13時間にわたって犬が「鼻をすする」こと、「おならをする」ことをしていました。

このことにより快適であるべき飛行機内でのひとときが妨害されたと主張し、シンガポール航空にフライト料金の払い戻しを求めてきたのです。なにしろ「感情のサポートが必要な乗客」が犬を連れており、この人の隣にご夫婦が予約したシートが用意され、空中3万フィートで「おならをやめない犬」に悩まされたと述べています。

ギルさんは雑誌の取材に対し、「重い鼻をすする音が聞こえ、最初は夫の携帯電話かと思いました。ところが下を見ると、それが犬の呼吸だとわかりました」とのことです。犬のおならもすごく、ギルさんは客室乗務員に「私たちの隣に座って、この音とおならを我慢するつもりはありません」と述べたようです。

シンガポール航空は座席の移動を提案してきたのですが、エコノミーにダウングレードせざるを得なかったので夫婦は移動を拒否。そして犬が夫の足の下のスペースを占領していて実に不愉快だと激怒しました。とはいえ2回目の苦情を入れたことで夫婦はエコノミークラスの前方へ移動することになりました。

その後、数週間にわたりシンガポール航空と争ったあと、95ポンド相当の旅行券を貰ったそうです。このような航空機内での争いは海外では頻繁です。

最近では「感情のサポートが必要な乗客」が連れている各種動物の件で揉めたり、隣席の乗客が巨体過ぎたり、風呂に数週間入っていないような悪臭を放ったり、子どもが延々と椅子を蹴ったり、ワキガが酷いなどの予期しないトラブルが続出です。日本も多様化しているので、このような事態に備えなければなりません。

飛行機内で性交したカップルはイギリスの乗客に絶賛!

海外の航空機内では日本だと考えられない行為が発生し、しかもそれが絶賛されることがあるのです。

たとえば2023年9月8日、イギリスの激安航空会社イージージェットがロンドンのルートン空港からスペインの島であるイビサ島へフライト中に、トイレで性交しているカップルの姿が動画に撮影され、ネットにアップされてバズりまくりました。

動画には行為に及ぶカップル、ドアが完全に開くのを大興奮して待っている乗客、スタッフのメンバーが緊張してトイレのドアの外に立っている様子が撮影されています。

バタンとドアが開くと、カップルは下着を膝の周りに下ろし、トイレの便器に乗っかった女性の上に男性が覆いかぶさって動いていました。それをほかの乗客は大歓声を上げて歓迎していています。フライトに子どもがいたのかどうかは不明ですが、イギリスの乗客はいつもこのように陽気です。

イギリスの乗客たちはたいへん元気らしく、このような事件はときどき発生します。また2021年9月にはイージージェットの競合であるライアンエアで、女性がパートナーを口で楽しませているように見える動画が撮影されネットで大人気になりました。男性がキャビンの側面でリラックスし、女性の頭が男性の股間で上下に揺れている様子が映っていたのです。

このような元気な方々は航空会社によって告発され、裁判で有罪になり、その元気さが全国ニュースになって顔もさらされてしまうことがめずらしくありません。

さらに2019年7月、イギリス北部のマンチェスターからチュニジアへフライト中のことでした。激安航空会社のトーマス・クックに乗車していた36歳の女性と39歳の男性は泥酔しており、座席でセックスを始めたために訴えられて2021年に罪を認めています。

イギリスの乗客は客室乗務員に対してもかなり挑発的です。2020年1月には20歳のイギリス人女性が投獄されました。彼女は当時、赤ワインで泥酔しており、二人の男性に「あたしとセックスをしろ！」と暴行したうえ、止めに入った客室乗務員も殴りつけ、懲役6カ月の判決が下されています。

近年は日本の女性も強くなってきていますが、このように人前で自ら性交を要求するぐらいの積極性がないと世界では闘っていけないのかもしれません。

レゴを飲み込んだら何時間でウンチから出てくるか⁉

日本の研究者は世界のおもしろい研究を表彰する「イグ・ノーベル賞」の常連ですが、イギリスも負けていません。

イギリスの研究者は子どもたちの命を守るために、「レゴを飲み込んだら何時間で尻から出てくるか」という研究を、なんと自らの体を張って実行しました。

この研究は2019年の『小児科および小児保健ジャーナル』に掲載された「レゴは

すべてが素晴らしいことを忘れないでください」（Everything is awesome: Don't forget the Lego）という論文で発表されています。

子どもたちは頻繁に小さなおもちゃやコイン、パーツなどを飲んでしまうので、どのぐらいで排出されるのか、安全性はどうなのか、ということを調べる小児科のたいへん真面目な研究です。

この研究には小児病院ケアの分野で働く医療従事者6人が参加し、レゴのフィギュアの頭部を飲み込んでいます。摂取前の腸の状況は、各自のウンチの硬度と通過スコアによって記録され、頭を飲み込んでからウンチの中にレゴの頭部が発見されるまでの時間が計測されました。

こうして参加者のウンチから物体が見つかるまでの時間が記録されます。

この研究ではレゴの頭部は平均1・71日で出てくることがカウントされ、女性は男性よりも便を調べるのに熟達しているかもしれないという証拠がいくつかありました。とはいえ統計的に検証できなかったそうです。

研究の結果、おもちゃは合併症なしで大人の被験者をすばやく通過することがわかりました。親は子どもがおもちゃを飲んでも、見つけるのが難しいのでウンチをかき分けるべきではありません。そのうち出てくることが繰り返されています。これはその被験者の実体験を反映した有意義なコメントになっています。

ゴミ袋を被ったモデルが本物と勘違いされる

2023年9月には毎年恒例のニューヨークファッションウイークが開催されました。これは世界中のデザイナーが一同に集まり、世界のハイブランドが最新デザインを競う催しです。超高価な最新モードの服を求める富裕層や芸能人、マスコミが集まって街は大いに華やかとなります。かつてヨーロッパの貴族が秋や冬の社交シーズンに向けて、最新のファッションを選んで購入していた頃から変わっていません。

イギリスで戦前の貴族の生活を描いたドラマ「ダウントン・アビー」にも、パリやロンドンのファッションショーで最新流行の衣装を入手する英米の貴族の姿が描かれています。ところが今年のファッションウイークはちょっと違うものになりました。

透明性のあるアバンギャルドな衣装を身に着けて歩いている姿の男性の動画がネットにアップされました。なんとこの人、ただの一般人でゴミ袋とシャワーキャップを身に着けてモデルのふりをして勝手にショーに出てしまったのです。

ここで興味深いのは、これを注視している観客がまったく何事もないような感じで熱心に舞台を眺めていたことです。そこへ突然、警備員が登場し彼を追いかけ、ランウェイから引きずり降ろして視界から消したことで、やっと「ああ！　これはいたずらだったのか！」と気がつくのです。

ネットでバズりまくったこの動画、多くの人は、このイタズラは高級ファッションの世界のバカさを風刺したものと受け取りました。あるネットユーザーは「観ていた人の全員が、彼の服装はキャットウォークにふさわしいと思ったことが、こういうファッションショーはどれほどアホくさいか完璧な風刺になってるよなぁ」と述べています。

高級ファッションショーは奇抜さや新規さを競う大会になっており、いたずらを仕掛けた人は、近年のファッションは美しさや良さがないがしろにされ、お金持ちがただお金を浪費するためのイベントになっているという事実を見抜いているのです。

富裕層のファッショントレンドは「隠密スタイル」

こういったファッション業界のバカさ加減に気がつきはじめた富裕層はファッション業界と縁を切り、異なる極端な方向に進んでいます。

最近の海外の富裕層の間では目立たず、ブランドが不明でシンプルな服を着用するのがトレンドになっているのです。ただし何の変哲もない無地のTシャツが数万円など、着ているのは超高級で世界最高品質の素材というところがポイントです。

たとえばアメリカのテレビ局、ＨＢＯ（エイチビーオー）のドラマシリーズ「サクセッション」に登場するキャラクターでメディア王のケンダル・ロイは、俳優ジェレミー・ストロングが演じています。

このキャラクターがドラマの中で着用する野球帽はイタリアのニットウェアブランドであるロロ・ピアーナ（Loro Piana）のものです。シンプルな黒いカシミアブレンドの帽子で価格は６２５ドル、日本円でおよそ10万円です。この帽子は実にシンプルでロゴもブランド名もなく特徴のないデザインがほどこされています。

このキャラクターが着用するほかの服も似たようなものです。シンプルで何の変哲もないけれど超高価なのです。アメリカのアトランティック誌は「多くのお金を持ちながら自分自身のアイデアが少ない男性にぴったりのアイテム」と皮肉っています。

これはドラマの中だけではなく実際の富裕層の間でもトレンドになっています。これを英語圏では隠れた豊かさを意味する「Stealth Wealth」（ステルスウェルス）と呼んでいます。ロゴや特徴的なデザインはなく質の良い素材と最高の縫製で「主張していないが富裕層の衣服」とすぐにわかり、これこそが現在のトレンドです。

「TikTokで流れてくる流行りの服を着るとか、ルイ・ヴィトンのロゴがドドン！とついているカバンは〝ダサい〟のです。

このようなステルスウェルス系ブランドにはロロ・ピアーナのほかに、ブルネロ・クチネリ（Brunello Cucinelli）などの高級ニットウェアブランド、トム・フォード（Tom Ford）のスーツ、ザ・ロウ（The Row）やマックスマーラ（Max Mara）、ジルサンダー（Jil Sander）の高級なミニマリズムを強調したコートやシャツ、さらにエルメスの地味なバッグが特徴です。

最近ステルスウェルスに熱心な女優のグウィネス・ケイト・パルトローがスキー旅行の際に着用していたのはザ・ロウのコートでおよそ70万円します。新品では富裕層感が出ないので、必ずある程度着こなした感が出ていることが重要です。富裕層や有名人は他人に「アピール」しなくても周りがわかるので、このスタイルがグッドです。

つまりは「知る人ぞ知る」で、英語だとＩＹＫＫ（If You Know, You Know）――「あなたが知っていればわかる」となるのです。

日本の老舗の品や高級な着物、装飾品と同じで、見る人が見ればわかる、見てもわからない人であるあなたは仲間ではありません――そんなノリです。つまり見る人のセンスや育ち、知識を試しているのです。

ステルスウェルスにはヨーロッパ系ブランドが少なくありません。もともとヨーロッパの富裕層は、服はオーダーメイドで老舗に依頼したり、ロゴなしで地味な保守的なスタイルだが素材や縫製が最高級だったりという衣服の選び方が当たり前でした。ある意味で原点に回帰しているといえます。

いまでもヨーロッパ大陸やイギリスで中流以上の人々の服や靴、カバンはそれが当たり前です。誰にでもわかるブランドを着用するのは実に野暮なのです。たとえば日本だと皇室のみなさまが老舗の国内ブランドでロゴがないものをお召しになっているのに近い感覚でしょうか。これが良いのです。

戦前や昭和の富裕層や上流階級の写真を見ても、ロゴがわかるようなブランドは着ていません。写真を見るだけで生地や縫製の良さが一発でわかる服を着用しています。

億万長者ほどのお金がない場合でも、もう少し手頃なブランドの服でステルスウェルス的な装いをすることも可能です。イギリスのファッション雑誌グラマーが推奨する、お手頃だが億万長者感が出るブランドはミニマリスト系のもので、コス（COS）、ジョゼフ(Joseph)、バイ・マレーネ・ビルガー(By Malene Birger)、そしてセオリー(Theory)といったものなのです。

移民に〝塩対応〟なフィンランド

日本では、北欧は移民に対してオープンだとか受け入れ態勢が整っていると思いこんでいる人がいますが、それは大きな間違いです。

たとえば比較的移民にオープンといわれているフィンランドでさえ移民するにはフィンランド語ができないと、なかなか地元に馴染んでいけません。移民当初はフィンランド社会に対する理解が低いため苦労する人が多いのです。

言葉のスキルが乏しい低賃金職の人が大半で、家族同伴だと地元の生活に慣れるのがかなり困難です。そのような移民に対する支援策は手厚いわけでもなく、文化と言葉の壁で階級を上がっていけない移民だらけなのが現実です。

一方でフィンランドは高齢化しているためクリエイティブ系の外国人を他国から採用することが急務になっています。ところがやってくるのは低賃金職の人ばかりで、求められている移民と実際の移民とがずれてしまっているのです。

第5章　世界の「最先端ＡＩ」を日本人は何も知らない

あまりにもショボすぎるＡＩの真実

日本でも海外でもここ最近ＡＩが大きな話題になっています。需要はうなぎのぼりで導入する企業や組織も続々と増えており、ＡＩ関連の人材は需要拡大で最高潮！　もちろん給料も上がる一方です。

たとえばＡＩで最先端をゆく「OpenAI」では２０２３年の上半期におけるエンジニアの給与は驚くべきものです。中央値で93万米ドル、日本円でおよそ１・４億円、新卒や経験が浅い若者でも50万ドル（約７５００万円）を超えているのです。これはシリコンバレーの他社と比べてもかなり多い額です。

小・中学生に大人気のユーザー作成型ゲームのプラットフォームを提供するロブロックス（Roblox）はシニアエンジニアの平均年収が37万ドル（約５５５０万円）、さらにGoogleはボーナスや株での報酬が多いといってもシニアエンジニアの年収中央値は36万ドル（約５４００万円）であり、日本の大企業における取締役の一般的な給料をはるかにしのぎます。

いま若かったらAI関連のエンジニアになっていればよかったなぁと思う方が多いでしょう。日本のデスマーチ続出のIT業界とは天と地の差があります。そんな快進撃を続けるAIですが、最近は思ったほどすごくないということがわかってきました。

もっとも大切なことは、AIは学習と出力に莫大なエネルギーが必要だということです。AIには利点もありますが、エネルギー効率の観点でみると生産性を上げるとはいえません。この点はコンピュータがどのように動き、どの程度の電気を使うのかというハードウェアの知識がない人は気がつかないことです。

たとえばマサチューセッツ大学アマースト校の2019年に発表した論文によると、ひとつのAIモデルを実務で使えるように訓練するために、28万4千キログラム（62万6千ポンド）の二酸化炭素を排出することがわかりました。

これはあくまでひとつのAIモデルが実務で使えるようになるまで、膨大な量の言語を読み込ませてデータを学習する最小限の作業をした場合です。それは平均的なアメリカの車5台が生涯に排出する二酸化炭素の量とほぼ同等になります。

そのような莫大な量の二酸化炭素を排出するようなコンピュータのパワーを使うので

費用もそれなりにかかるのです。

しかもこういったＡＩにデータを読み込ませて使えるようにする作業の多くを世間は大学の研究者に頼っています。しかし研究が進むにつれ、より多くのデータを読み込ませて学習させなければＡＩは使い物にならないことがわかってきたのです。

ところが現在、先進国の多くの大学では大幅な予算カットの機会にさらされており、予算が潤沢にある大学はアメリカでもかなり裕福な私立の大学やごく一部の州立大学に限られています。なおかつ大学の研究者のキャリアはたいへん不安定で、お金があるアメリカでも終身雇用が確保できる研究者は多くありません。

これはヨーロッパでも似ているところがありますが、大学の研究者の給料が安すぎるので民間に移ってしまう人があまりにも多いのです。

いったい全体「ＡＩ」とは何か？

なぜこんなにもＡＩを訓練するのに労力が必要なのか――それはＡＩの基本的な仕組

みを知っていればよくわかります。

ＡＩとは簡単にいうと「入力されたデータをソフトウェアの判断で出力するシステム」のことです。要するに「入れたものをゴニョゴニョして出す」というコンピュータの基本そのものです。ただしそのソフトウェアには従来よりもはるかに発達した「計算式」(アルゴリズム)が組み込まれていて、洗練された「答え」が出るようになっています。要するに「人間の知能を、コンピュータを用いて人工的に再現したもの」という意味で理解されています。

さらに「機械学習」(マシンラーニング)という機械がさまざまなデータを学んで規則づけする仕組みがあります。そしてまた「自然言語解析」(ナチュラルランゲージプロセッシング)といって、入力された言葉を自動的に分析し答えに対して適切な回答を出す、といった仕組みも含まれています。

ところがＡＩは「ものすごく賢い計算式」で、答えを出すには「入力」が必要です。１＋１＝２の答えを電卓で出すには「１＋１」と入れなければなりません。それ以上にＡＩはいろいろな処理をしてくれるのですが、それにはたくさんの数式や言葉、人間の歩みなど動画や画像を入れておかなければならないのです。

この入力を自動化できる場合もありますが、いろんな分野では手入力したり、入力した結果を人間が確認したり、入力した情報に意味づけしなければなりません。

最近はやりの「医療ＡＩ」で診断する場合、ＡＩは人間の医師ではないので、たとえば乳がん患者の検査結果をいきなり入力されても意味がわかりません。

「こういう画像でこういう数値データが入っていたらがんのステージＩだよ」というような情報を事前に入れておかないとＡＩは判断ができないのです。これまではそういった診療をしていたのが医師でした。

コンピュータのプログラマーや分野が違う事務員の人が乳がん患者の画像や検査結果のデータを見ても判断は不可能です。結局、医師や画像診断をされてきた人が「情報の分類」「意味づけ」「ＡＩが判断できる情報提供」をしておく必要があります。

それにＡＩに入力する診断データは膨大なので、診療で超多忙な医師が仕分けをしてＡＩに入力する作業を延々とするわけにはいきません。それを他の人がやっても人件費がかかります。これはほかの分野でもまったく同じです。

またＡＩの「訓練」にどれほどの手間が必要かは実際に現場にいればわかります。私が通っていたアメリカの大学院は２０００年前後にアメリカ政府の支援を受けて現在のＡＩにも使用されている「自然言語解析」の研究をやっていた教育機関です。

当時、大学院ではどんなことをやっていたかというと、まだ原始的だったＡＩの母体となるソフトウェアに各国から来た留学生が自分の母国語とアメリカの英語の文章を比較し、正しい翻訳を入力していくというアナログ的な作業だったのです。

学生の時給は安いので民間に外注するよりは安く依頼できたはずですが、気が遠くなるような作業です。みなさんが使っているＡＩはこういった地道な作業を積み上げてデータを蓄積してきた結果の産物です。それは現在でもあまり変わっていません。

さらに言語ネットワークを訓練する基本的な方法は、一般公開されているＷｅｂサイトから多くのテキストを選んで入力し、一部の単語を隠して、ＡＩにその隠した単語を推測させることです。

たとえば「私は納豆ご飯が好きです」という文で、「納豆」という単語を隠して、他の単語に入れ替えた文章を推測させます。それは「鮭」「炊き込み」「ゆかり」などといった日本で一般的に食べられる「△△△ご飯」の単語です。ここに「チョコレートご飯」「ナチョスご飯」「ボルシチご飯」などが入ると、日本の「△△△ご飯」として一般的ではないので「間違ったパターン」として修正されていきます。

２０１９年に「Google AI Language」によって発表された論文では、最近のモデルのひとつであるＢＥＲＴ（Bidirectional Encoder Representations from Transformers）は、英語の書籍とWikipedia記事から33億語を使用して文章を学習しました。さらにＢＥＲＴは、このデータを訓練中に１回ではなく40回読みました。この数は多いように見えて人間の学習量よりもはるかに少ないのです。

言葉を学んでいる最中の子どもは５歳までに約４５００万語を聞くのですが、これはＢＥＲＴの場合の約３０００分の１の量にすぎません。つまりＡＩに学習させるのは大変な手間がかかり、まだまだ人間の脳が学ぶスピードには追いつかないのです。

ＡＩのデータの偏りが引き起こす大惨事

二番目の問題は、「ＡＩは偏見をもつ」ということです。

ＡＩの「訓練する」手間からもわかるように、データ入力が不十分な分野ではＡＩは十分に機能しないどころか、誤った結果を出して悲惨なことになってしまうのです。

たとえば、みなさんは意識していないと思いますが、現在ＡＩの開発の大部分は英語圏でなされており、入力されるデータは英語圏のものになります。

つまり日本語やタイ語、トンガ語、モンゴル語、フランス語、カザフ語などの地域の人々の言語は入力されていません。そのため英語圏以外の人々の行動データや画像、動画なども入力されにくくなっています。こうしてデータが偏れば、ＡＩが意図せずに偏見のある、または差別的な応答を生成する可能性が高くなります。

三番目の問題は、二番目の問題にも関係ありますが、入力されるデータが偏るので、情報量や網羅性も低くなる点です。

たとえばChatGPTは日本の中世における和歌の意味を正しく理解することができま

せん。ボツワナの経済史に関する回答も間違いだらけで、基本的な経済学の回答もメチャクチャです。少々ニッチな情報は正しく出力することができません。これも入力されるデータに偏りがあるからです。

さらにデータがいつ作成されたものか、その時代やタイミングに合っているか、ということも検証できません。そしてまた自然言語解析が、入力された単語や文章を本当に正しく理解しているか、ということも確認することができないのです。

しかもユーザーは、ＡＩ提供企業がどんなアルゴリズムを使ってどんなデータを入力しているか、などがわからないのです。

四番目に、いまのＡＩは文脈を読み取るとか、細かい微調整をすることが苦手です。ＡＩの代表格のChatGPTはなんとなくフレンドリーで共感してくれる答えを出しそうに思われますが、微妙および複雑な感情の動きに対応できません。現状ではプロの作家やアニメーター、音楽家、セラピストの代わりになることがほぼできないのです。

特定の目的に対して出力を期待する場合は、ケースごとに微調整も必要になります。たとえば「商品パッケージの中で『スラム ダンク』の初期の絵柄に似たものが好きな顧客が好むものを選ぶ」というタスクは、目的が一般的ではなく特殊なためＡＩが妥当な絵柄を選ぶように細かく調整する必要があります。その手間暇はかなり大変です。

さらにＡＩは微調整が得意ではないので、ChatGPTでは誤字、文法エラー、スペルミスに対する感度が限られています。文脈や関連性の観点から完全に正確でない文章を生成することがあります。特に英語以外の言語ではこれが難しいのです。

五番目に、ＡＩは研究者や技術者、起業家、作家や漫画家が求めている答えを出すことはできません。こういった「創造性が高い」業種の人は「一般的な意見」や「大多数の意見」は求めていません。彼らが求めているのはまったく異なる意見、これまでと違うこと、画期的なこと、これまで登場しなかったことです。

また発明・発見は現在のＡＩで得られるものではありません。創造性とは大変複雑な脳の動きで、まったく異なるものをつなぎあわせて新しいものを生み出します。

たとえばエジソンは、うちわの竹を見て電球のフィラメントに使用することを思いつきました。スティーブ・ジョブズは、大学で受講していた字体のデザインから学んだことをAppleが生み出したコンピュータのフォントとして採用しました。

そしてまたヤマハはもともとオルガン修理・製造にくわえ材木業をやっていたのですが、材木を活用するためにピアノを組み立て、ピアノを売るために音楽教室を開設しました。このような柔軟で画期的な発想はＡＩには無理なことです。

別の懸念点としては、ＡＩの品質が変動するという欠点があります。２０２３年にはChatGPT-4の性能が低下しているという論文が発表されました。

スタンフォード大学とカリフォルニア大学バークレー校の研究者が２０２３年に発表した論文によると、２０２３年3月と6月に同じ質問をChatGPT-4に入力して比較しました。するとコンピュータコードの生成や質問に対する解答が10分の１以下の性能というなんとも衝撃の結果でした。

「この数字は奇数か？」「この政治家は民主党員か？」などといったかなり単純な質問、あるいは政治的に微妙な内容の質問でも正答率が大幅に下がっているのです。

OpenAIは「ChatGPT-4の性能は向上している」と強気ですが、このような結果は不安を助長します。システムの回答の質が入力データに左右されるので、結果が安定していないようです。またユーザーの数が激増して負荷の変化が影響を及ぼしているのか、使用されるモデルが何か調整されたのかも不明です。

ＡＩではなくもっと単純な構造の商用データベースや業務用システムだと、たった3カ月で出力内容が大幅に変化することはさほどありません。安定性や一貫性がないのは業務で使用することを考えるとかなり心配になります。

ＡＩはスーパーブラック労働で支えられていた

ＡＩの問題は、現在システムがどのように構築されていくかを知るとよくわかります。いまは多くの人がＡＩを性的な画像や動画、文章の作成に使用しています。

というのもビデオデッキやＰＣプリンター、インターネットなど最新のデジタルツールやデバイスが普及する際、性的な目的や倫理的に不適切なことに使いたいというユーザーの要求が新たなテクノロジーを発展させてきたのは事実です。ＡＩもユーザーは同じような感覚です。だから倫理的によろしくないものも少なくありません。

欧米ではChatGPTに不適切なコンテンツをアウトプットするように指示するユーザ

ーがかなりいることが問題になっています。そこで提供会社のOpenAIは、ケニアのSama社という企業に、不適切なコンテンツの検証やラベル付け、削除といったことを外注しています。

「ザ・ポストミレニアル」（The postmillennial）の報道では、この外注会社スタッフの時給がわずか2ドル（約３００円）というのが批判されているのです。それよりも驚かされる点がChatGPTのようなシステムであっても品質管理は重要であり、コンテンツの意味合いや細かい検証は人間の手が入らないとうまくできないという点です。

このようにあまりにも手間がかかるので、人件費の激安な後進国でかなりブラックな労働により処理するほかないのです。

この件はTwitter（現X）でも注目を浴びました。Xの中にいるアルゴリズム担当の人々やコンテンツキュレーションをやっていた人々の証言によれば、Xの検閲行為の多くはアルゴリズムで機械的に処理されていたものも多いようです。

やはり人間に比べると完全とはいえず機械的に処理されるため、ポリシーに違反していないものが削除されてしまうとか凍結されるということが発生しています。

ＡＩはさらなる発展をしていくのですが、やはり行間を読んだり文章の意味合いを本当に理解したりすることはかなり高度な知的活動であり、まだまだＡＩ単独では判断が難しいところがあります。それはどういうことかというと、人間の感情に訴えかけるような表現や活動は機械化することがまだかなり難しいということです。

単純作業や定型化できるものはＡＩによって効率化されていく可能性は高いのですが、たいへんユニークな芸術表現や一対一のカウンセリングなどは、今後むしろ価値がより高まっていく可能性が高いです。ＡＩでは表現ができないからです。

将来どんな仕事がＡＩで適用できるか、また価値観がより高まっていくかということを考えるヒントになるのではないでしょうか。

ＡＩでの自動運転を支えるベネズエラ

ＡＩは車の自動運転でも活用されていますが、システムの開発には意外な地域が活躍しています。ドレスデン工科大学のデザイン教授であるフロリアン・シュミット教授の論文によれば、マイティ・エーアイ（Mighty AI）、プレイメント（Playment）、ハイブ（Hive）、スケール（Scale）といった自動運転システムを開発する企業の多くがベネズエラの人々にさまざまな作業を依頼しています。

２０１８年には作業者の75％がベネズエラに在住していたというデータもあるほどです。なぜベネズエラなのかというと、国家経済が崩壊しインフレが急激に進んだことで、かつての中流階級が失業したり生活困難に陥ったりしたためです。なんとか食べていく手段として海外の企業からクラウドソーシングの仕事をしているのです。

スペイン語が通じ英語を理解する人も多いうえに教育レベルが高く、通信インフラも存在しコンピュータ所有率も高いので理想的なアウトソーシング先です。

シュミット教授の調査によれば、ブラジルやイタリアではあくまで副業としてクラウドソーシングに類似する仕事を海外から請けている人が多かったのですが、ベネズエラでは生活を支える手段として仕事に取り組んでいる人々が多く存在したというのです。

その少なからずは友人や家族経由の口コミで仕事を請けています。血縁のつながりが強いので、熱心に働く人が別の親族を連れてきてくれるのです。

自動運転システムの開発にあたっては、動画から画像、テキストといったデータにラベルを付けたり振り分けたりし、さらには精査するという膨大な作業が発生します。

また重要なのが検索結果の調整という作業で、これも人間による手作業が必要になってきます。とにかく作業の量が多いために自動運転のシステム開発企業だけではなく、AI企業もその多くを自社だけでなく外注企業なども使って処理しているのです。

先進国のみで作業していると膨大な人件費コストが発生してしまいます。そこでベネズエラのような経済的に困難な状況にある国やブルガリア、ケニア、フィリピン、中国、マケドニアなどといった世界各地の国々に外注をしているのです。

このような外注先としては海外にある子会社や第三者企業経由の場合もあるし、クラウドソーシング会社経由のケースもあります。海外に作業を委託するときは、先進国の労働法が適用されないうえに賃金も安く上がります。

さらにクラウドソーシングの場合、働く人は「個人事業主」となるため従業員を雇用したことにならず、福利厚生費用や年金を払う必要がありません。

一方でこういう外注が可能なのは、英語やスペイン語が通じるため言語バリアが少ないからという理由も存在します。作業効率が高いので、より多くのデータを処理することが可能でシステムがより早く完成します。

こういった膨大な作業を処理するのに日本語が使える環境にないので、日本はかなり不利な立場にあるのです。

ＡＩでバス路線がメチャクチャになってしまった

ＡＩのアルゴリズムもまだまだ洗練されているとはいえないケースが出ています。たとえばケンタッキー州の学区でマサチューセッツ工科大学（ＭＩＴ）出身の学者が設計しＡＩを内蔵したバス路線計画ソフトウェアを使用してみたのです。すると、アルゴリズム的には正しくても、生徒が長距離を歩く羽目になったり、スケジュールが合わなかったりする路線になってしまい、大混乱を引き起こしてしまったのです。

慣れた人なら近道や交通状態、生徒が歩く場所や距離、地域の安全性といった「周辺データ」を把握しているので、ソフトに入力できない情報も考慮して設計できたのに、このシステムには限界があったのです。

さらにAIでのプログラミングツール開発もすべてがうまくいくのではありません。AIを使ってパイソン（Python/プログラミング言語）コードを補完してくれるプログラミングサポートツール「Kite」を開発するスタートアップ「Kite」が、ツールの開発を中止してサポートを終了しています。

AIによるプログラミング支援で市場に出るには10年以上早すぎて、技術がまだ仕上がっていなかったのです。データが十分学習されておらず、問題を解決できるほどの改善策を提供できませんでした。これもデータの入力が不十分で、ユーザーが必要とする回答をAIがうまく出せないという例のひとつです。

プログラミング言語を使ってプログラミングコードを記述していく作業のコーディングにはさまざまなパターンがあり、それほど単純ではないのです。

人間はＡＩが作成した小説で感動するか？

２０２２年後半に話題になったのが、ＡＩが作成した小説や絵本の登場でした。以前からＡＩが作成した文章は登場していたのですが、定型化されたニュースの情報やスポーツ記事などが多く、それほど話題になっていませんでした。ここ最近は実際にＡＩで長い小説を作成したり子ども向けの作品をつくったりと、ＡＩが作成したものを販売する例が登場しはじめ英語圏では話題になっています。

たとえば『Alice and Sparkle』という作品は子ども向けの絵本で、ＡＩを使用して作成したイラストと文章で少女とＡＩの関係について描かれています。この絵本ではＡＩを使用し作品をつくったことがはっきりと明記されているのですが、説明がなければ人間だけで制作したとしか思えない内容です。

ただしあくまで世の中に存在する文章や絵を集めてきて焼き直したものになるので、最近漫画家の漫☆画太郎先生がガタロー☆マン名義で執筆した『ももたろう』や『おおきなかぶ～』のような度肝を抜くような図柄の絵本をつくることはできません。

なにしろこれまでにまったく存在しない図柄で凄まじいストーリーだからです。ちなみにうちの子どもだけではなく、イギリスの子どもに読み聞かせして、いちばん凄まじい影響があったのはこのふたつの作品です。とにかくその辺にある絵本とは内容がまったく違うので大変な驚きがありました。

また小説家のエリック・シルバースタインさんはChatGPT-3を使用して小説のプロトタイプをいくつか作成し、自分が執筆したものと比較しています。ＡＩが作成した文章は人間がつくったものとは大きな違いがなく、見分けがつかないという驚きの結果をサイトで表示しています。

しかしながらどちらの例もＷｅｂサイト上のすでに存在するイラストや文章をサンプルとして新たなものを生成したので、最初から完全に新しいものを作成したというわけではありません。ＡＩの機能はどんどん発達はしていくと思うのですが、まったく存在しなかったものを創り出すレベルには達していない印象です。

そしてシルバースタインさんが指摘するように、小説の定型化したパターンで執筆をすることはできるのです。ところがＡＩ自体は思考しないので、小説のもっとも重要な部分である大きなテーマをさまざまな文章を通して演繹《えんえき》的に伝えることや、人間の感性を刺激するような表現をすることはまだ難しい段階だと思われます。

これはイラストや絵画でも同じです。私たちが実際に美術館へ出かけ、手で描かれた絵画を観て受ける印象は、その大きさやタッチの不完全さ、経年劣化などから感じるものを総合的に含んだものなので思った以上に複雑な要素を含んでいます。

人間の感性とは何なのかということに関して、まだまだ研究が必要な気がします。

南アフリカはＡＩが発明した製品に特許を与える

日本ではＡＩがどの程度人間に近づけるのか議論されていますが、このところ海外では「ＡＩを自然人として認めるべきか?」が法的なテーマとして話題になっています。

そのきっかけのひとつはステファン・テイラー博士が自ら開発したＡＩのＤＡＢＵＳロボットが〝発明した〟とされる「食品を入れる容器」と「フラッシュライト」の特許を、ＡＩの代理人として特許申請した件です。

これは開発者が「人間」でなく「ＡＩ」で、「ＡＩが特許所有者」になるというのです。通常、特許申請ができるのは「自然人」なので、これは大変な話題になっています。

テイラー博士はアメリカ、ＥＵ、オーストラリア、ニュージーランドと、さまざまな国で特許申請をしていますが、いずれも「申請は自然人に限る」と却下されています。

ところが、なんと南アフリカはこの特許を認めました。

たいへん興味深い点は、この特許申請が認められたポイントで、「発明者は人間に限らなくてもよい」という点です。これは技術の発展を推進するには、特許法は柔軟であるべき、という考え方が根底にあります。

南アフリカの決定を理解するには、オーストラリアの裁判所での議論も参考になりました。特許法で定義する発明者、つまり「inventor」（インベンター）という単語は動詞から派生した言葉で、動作を指示し「人間」がやるとは定義されていません。「inventor」は「柔軟に判断されるべき」と議論されています。

イギリス知的財産庁には２０１８年の10月と11月にテイラー博士が代理人となって、ＤＡＢＵＳが発明したこの食品の入れ物が特許申請されていますが、認められなかったために控訴されており、現在最高裁で審議中です。

この特許に関する各国での議論は特許界だけではなく自動運転や兵器、そしてシステムの世界でも避けられなくなるでしょう。ある程度の判断力と知能を有したＡＩ自身には責任能力はあるのか、ＡＩが創り出す付加価値の富の所有権は誰にあるのか、ＡＩによるエラーは誰が責任を負うのか、といった点です。

たとえば「自動運転でＡＩが事故を起こした場合の責任は誰に生ずるのか」、さらには「ＡＩが戦争犯罪をしでかした場合の責任は究極的には誰が負うのか」といった議論は日本では現在ほとんど話題になっていません。倫理的な側面も踏まえて早急に話し合いをすすめるべきでしょう。

音声で読み上げるキャッシュレスシステム

このように世の中ではＡＩが大流行ですが、その一方でアナログな手法とデジタルを組み合わせて問題を解決するテクノロジーも注目すべき点でしょう。これは日本では意外と話題になっていません。

インドでは路上の屋台や八百屋でもキャッシュレスペイメントの導入が進んでいるのですが、字が読み書きできなかったりアプリの使い方がわからなかったりする商店主が多いのが問題です。つまりシステムがあっても使いこなせないのです。

この問題を解決するために、インドのFintech（フィンテック）企業は請求金額や支払完了を音声で読み上げて知らせる「サウンドボックス」の提供をしています。なおFintechとはご存知かと思いますが、金融［Finance］と技術［Technology］を組み合わせた造語です。

２０１９年に最大手のペイティーエム（Paytm）が提供を開始したシステムは、スマートスピーカーと連動しています。ボックスに携帯電話回線につなげるためのＳＩＭカードを挿入すれば、システムが支払いの内容や決済を読み上げてくれるので、字が読めなくてもお客さんからキャッシュレスの支払いを受けることが可能になります。

１カ月の使用料金は１・５米ドルと格安なので、屋台で野菜やサモサを売る商店主でもなんとか払えます。ヒンドゥー語だけでなく多言語に対応している点もポイントです。

インドは多言語社会なので、こういった遠隔地でも多言語サービスを提供してくれる機械が大変便利なのです。他社も次々と参入し、競合のフォーンペ（Phone Pe）は数カ月後に独自の商品を投入し、すでに220万個を提供しています。

またデバイスの月額契約を商店主向け金融サービスの展開にも使用し、商店経営者にビジネスローンも提供するチャンネルにしています。ＡＩだけではなくアナログな手法にも、まだまだビジネスチャンスがあるのです。

第6章　世界の「日本イメージ」を日本人は何も知らない

お台場にいる客の大部分は外国人だった！

２０２３年の夏は日本に滞在しておりましたが、２０２２年に比べて外国人旅行者が激増しているのを実感しました。

子どもを連れてお台場のガンダムファクトリー（ＴＨＥ ＧＵＮＤＡＭ ＢＡＳＥ ＴＯＫＹＯ）にガンダムのプラモデル、通称「ガンプラ」を買いに出かけたところ、お客の８割程度はアジア系の外国人旅行者でした。お台場自体が日本人にとってはすでに〝ダサい場所〟で、すっかり流行遅れのような感じです。

ところが外国人向けのガイドブックでは「東京でもっともヒップな場所のひとつ」と紹介されていることもあり、外国人には大人気なのです。ヒップとは「今のトレンド」をあらわす言葉です。

お台場ではガンダムを見に来る人だけではありません。ショッピングモールのなかに入っているカプセルトイを楽しんだり、安売りの靴や服を買っていたりするアジア系の外国人旅行者やアメリカ人、さらにはヨーロッパの人々を大量に見かけました。

しかもカプセルトイは最新のものでなく、見るからに「売れ残りの在庫処分」といった感じです。靴や服も大手スーパーで売っている商品のほうがオシャレで、入っている飲食店も微妙な雰囲気です。これは日本人なら来ないだろうなぁと思いました。

近隣の風景もすっかり寂れ、1980年代半ばの香りが残っているバブルの遺産という感じがして、なんとも〝わびしい〟ものでした。

とはいえ、事情を知らない外国人は大喜びです。特に娯楽があまりない中国の田舎や東南アジアの人は大興奮で、子どもらはあたりを走り回り、マクドナルドでは母国には存在しないハッピーセットの玩具をゲットして大満足の様子です。

日本人は独りで来店している「大きなお客さま」が圧倒的に多く、夏休みには一緒に旅行へ出かける家族も友だちもいない感じの哀愁を漂わせた〝人の良さそうな〟男性だらけです。また外国人は2人から4人ぐらいの子連れ家族をよく見かけました。なかには成長した10代から20代の大きな子どもと来ている人もいました。

円安傾向にある日本紙幣を大量に持ち歩き、みんなでワイワイ騒ぎながら買い物していています。多くは親戚一同による夏休みの日本旅行なので、ずいぶんとお金がかかっているのでしょう。足元は最新のナイキ（Nike）モデルで決めています。一足1万5千円から2万5千円ぐらいのものです。

不動産バブル時代に無謀なベイエリアの開発をし、銀色で金属とコンクリートが主体の1990年代丸出しといってよい建物で、あまり洗練されていない新興成金系の外国人が大騒ぎする構図――これはどこかで見た光景だなと思っていましたが、ポルトガルのリスボンそしてスペイン都市部の海沿いそのものです。

ポルトガルとスペインも地元民の多くはお金がなく旅行には出かけられません。無理な再開発をやり不動産バブルが弾け、無駄な投資をした国はちょっと過疎っています。観光で稼がなければならないので、宣伝しまくって外国から観光客がやってきますが、そんなところに来るのは新興国の成金系やアメリカの田舎の人です。ただしいろいろと安いのでついつい買い物してしまい、キャッシュは大量に落としていってくれます。

この光景は現在の日本と海外の対比という点では同じです。なぜ外国人が日本に来るかというと、日本には魅力的な文化が多く、食べ物もおいしく観光地として大人気だからです。そして訪日のもっとも大きな理由は「いろいろなものが安い」からです。

これまでタイやバリ島に出かけていた人々が「値段が安い！」という理由で日本に来ているのです。欧米から日本への航空券は決して安くないですが、日本のホテル料金や食事代、土産物の価格などがあまりにも安いので、高い航空券を払っても十分ペイするのです。

日本の外食は海外先進国の半分から3分の1で、しかもサービスは激安チェーン店でも高級ホテル並みです。それは公共交通機関の運賃も同じような金額の感覚で、しかもストライキはないし遅延も車両の故障もなく、まるで夢のような国です。

そしてたいへん重要な点としては、治安がかなり良いので他のリゾート地や東南アジアの観光地に比べると、犯罪に遭遇する確率はほぼゼロということです。ほかの国だとタクシーなど安心できないし、インフラが整っていないことが多く、歩道は汚いし道路はひび割れていたりします。

水や氷でお腹を壊すどころか感染症にかかりかねません。A型肝炎やコレラ、破傷風、腸チフス、マラリア、デング熱など日本の近隣国でもけっこうかかります。また屋台や不潔なレストランも感染症には要注意です。

スリや強盗もいるし、バーに入るのは正直なところ怖いです。トイレもメチャクチャで、なおかつ料金は日本より高いです。ここ数年間のコロナ禍で日本の清潔さは全世界に知れわたったので、日本に観光客が来るのは当たり前なのです。

私はアジアの近隣諸国であるネパールや中央アジアにもずいぶんと出かけましたが、どこも軽犯罪どころか銃犯罪が蔓延しているので気を抜くことができません。その点、日本は何から何まで素晴らしい環境で、いまでは観光立国のタイよりもコストパフォーマンスのよい観光地なのです。

外国人はわかりやすいものにしか興味がない

そんなお得な日本にやってくる外国人は、特に日本の文化に興味があるわけではないので、誰でも知っていてわかりやすいものにしか興味がありません。

そのうちのひとつが「富士山」です。

彼らの頭に浮かぶ日本はいまだに「フジヤマゲイシャ」なので、一応世界遺産を見にいって、ついでに登ろうとします。ところが知識の浅い一般人だからビーチサンダルや短パンで登山したり、ゴミを投げ捨てていったりするようなマナーの悪さです。

日本には単に安いからという理由で来ているので、そういった観光客が多いのです。かつて来日していたような、日本の古文書にたいへん興味があるという事情通の外国人とはまったく異なっています。

最近のこうした「底が浅い」来日外国人はお金を持っています。要するに成金です。彼らはお金の有無で他人と競争をするので、プレミア感があることに大金を払ったことを自慢しまくるのです。

特に重要なのはインスタグラム（Instagram）でウケる写真です。日本に来る理由がようするに「インスタ映え」する写真の撮影なんです。アメリカでもなくヨーロッパでもないので、ある意味プレミア感があります。この日本旅行でもっとも映える写真のひとつが富士登山なのです。

目的はあくまで自慢する写真を撮ることであって真剣なクライマーではありません。実になめた態度で富士山に登り、数々のトラブルを起こしていくのです。

とはいえ彼らの自慢魂は日本にとって〝お金のなる木〟であるといえます。一般に日本人はたいへん奥ゆかしいので、自分のところの素晴らしい商品やサービスを宣伝するのが下手で値付けもあまりうまくない感じがします。需要が高いものは高額な値段をつけてどんどん売りまくればよいのです。

一方の来日した外国人はとにかくお金を使いまくりたいので、高ければ高いほど喜ぶはずです。富士登山に関しては日本国籍や永住権を持っていない外国人に対してガイド付きのツアー登山のみ許可し、一人当たり15～20万円の費用を徴収するべきです。

これはほかの先進国や発展途上国であれば、まったくおかしな値段ではありません。富士山の価値を考えたらむしろ安いといえます。

ネパールやスイスなど山岳観光地の質が高いサービスは高額ですが、外国人は喜んで払っています。外国人から徴収した費用は、ガイドの訓練、登山道、トイレや宿泊施設、道路などの整備に使えば、お客の満足度も高くなります。外国人観光客は安くて質の低い体験より、高くても内容が充実したものを求めているのです。

さらにケニアやタンザニアのように、富士山の麓では超高級なロッジやグランピング

温かい対応をしてくださったというのです。暑さで具合が悪くなってゲロをはいてしまったときは、先生が自ら掃除をしてくれたそうです。これはイギリスではありえないことです。掃除はすべて外注の業者がやるからです。

とはいえ業者の人がいつもいるわけではないので、そういう教室は閉鎖され、ひどい場合は3日間も放置されるようです。一方、日本の学校では先生が5分も経たずに片づけてしまい、子どもたちはとても親切に手伝ってくれたというのです。

そしてまた彼は日本の学友らの気遣いに驚いたそうです。

同級生の皆さんはたいへん親切で、新参者で単なる訪問者にすぎない自分に気を配り、挨拶を欠かさず、みんな仲良く遊び、ゴミは処分場まで持っていって捨て、給食当番や掃除も規律正しくされていたとのことでした。

小学1年生でもこんな大人のような振る舞いができることに、みにろま君は大変な衝撃を受けたそうです。さらに登下校時にも同級生が気を遣い、「いっしょに帰ろうよ」と声をかけてくれ、下駄箱の場所やさまざまな物の使い方を教えてくれます。

こうして一生懸命、日本語と英語混じりでコミュニケーションをとってくれたというのです。また初日から友だちができたことにも感動していました。

イギリスの学校では新参者は警戒され、友だちは何カ月もできず、持ち物が古いとか髪型のことなどを揶揄《やゆ》するのが当たり前で、とても意地悪な子どもがいるのです。

しかもクラス内では人種や親の職業で派閥ができてしまっており、○○ちゃんを誕生会に招いた招かないでいじめが横行しています。暴力的ないじめもあります。

でも日本で通った小学校はごくふつうの学校なのに、そんな厳しい現実とは無縁だったのです。みにろま君がお客さんだったからというわけでもなく、そのクラスの子たちは普段から仲が良く、みんなで親切にし合っていて全体が友だちのような雰囲気らしいのです。

日本の子どもは世界でもっとも礼儀正しい

さらに、みにろま君が驚いていたのが、生徒たちは「カナヘビ」というトカゲを飼育し、虫かごに入れて「かわいいね」といいながら撫でたりして大事にしていたことです。

イギリスの学校では小動物や爬虫類を飼うことはありません。虫や爬虫類を発見すると、踏み潰して殺したり、いたぶって遊んだりする子どもが多くいます。小さなものを大事にする感性のある子どもは少なく、自然にもあまり興味を抱いていません。

それでも、みにろま君が住んでいるところは自然がかなり豊かで、日本の郊外に比べても田舎なのです。学校も理科には力を入れているのですが、子どもたちには自然を大切にする感性が欠けています。

イギリスの子どもらは裕福な家の子でも、ゴミを床や道に投げ捨て、並ぶべきところできちんと並ばず、人を押しのけ、私語だらけで大騒ぎし、気をまったく遣わず、意地悪をし、トイレや劇場を汚しまくり、食べ物を床に投げて足で踏み潰し、カーペットになすりつける。こうして大人の使用人に掃除させます。また学校では備品を投げつけたり壊したりするのを堂々とやります。

さらに授業参観ですらイギリスの子どもらは親の前で学用品や学校の教材を投げつけまくって遊び騒ぎ、ケーキを手づかみで食べ、ほかの子どもからも奪っていました。

この調子が「標準」どころか、これは進学校で裕福な階層なのです。貧しい地区とか貧困な階層はもっとひどいのです。

学校のプールでの放尿、トイレから糞を持ってきて手洗い場にぶちまけ塗りたくった子どもたちもいました。それは知的障害がある子どもではなく、親が教員で豊かな家の子どもです。大人の「使用人」が片づけるのを知っているからわざとやるのです。

だから日本の公立校に通うごく普通の小学生がイギリスの小学校に転校した場合、おそらくほぼ100%の確率でその子どもは礼儀や行動評価で全学年のトップどころか、国のトップレベルになってしまうでしょう。

この日本の子どもたちはレベルが高いわけではなく、私の実家である田園地帯の子たちで、この街はそれほど裕福ではありません。日本の子どもらは全体的に礼儀や共感性がしっかりしており、小さな子でも非認知能力が恐ろしく発達しているのです。

非認知能力とは「社会情緒」に関する能力のことで、感情の動きをつかさどる働きをします。それは「社会性」「協調性」「忍耐力」「意欲」「自己肯定感」「予測力」「共感性」などで構成されます。もっと具体的にいうと以下のようなことです。

◇同級生の体調を気遣う

◇相手の都合を考えて予定を調整する
◇お客さまのニーズを察知する
◇グループ活動をやり目的を達成する
◇ものごとをやり遂げる
◇周りの人と上手にコミュニケーションをとる

なお記憶力や学力テストで数値化できる能力は「認知能力」であり、算数や国語など試験の成績に当たります。

近年における英米の脳科学や発達心理学の研究でも非認知能力は認知能力よりも大人になってからの成功、さらにはその社会やコミュニティの発展に影響が大きいとされています。そして教育でも情緒や社会性を高める科目と活動が重視されているのです。

中国でも算数や国語ばかりで試験漬けの子どもらの問題行動が目立つので、最近では野外活動やダンス、演劇など芸術活動に力を入れて、子どもの社会性や情緒を伸ばそうという傾向が高まっています。

ところが、みにろま君が遭遇した学友や街で出会う日本の子どもたちは、すでにかなり高いレベルで成熟した非認知能力を身につけています。私が学校へ迎えにいっても、小学1年生が私にきちんと挨拶をしたり、たいへん丁寧に世間話をしたり、さらには下駄箱に靴をきちんとしまうのです。

私が待ち時間のときに観察していたところ、遠足から帰ってきた5年生はバスから下車して点呼が終わるまで10分かかりませんでした。統制がまったくないイギリスやフランス、アメリカの子どもなら同じ行動に40分ほど要するはずです。

海外の偽イメージに騙されまくる日本人

日本人はたいへん素直で言われたことをすぐに信じてしまい、良い意味で単純な考え方を持った人が多いです。ところが海外の人とつきあう場合はそれがマイナスに作用することが少なくありません。しかもこれが国レベルとなると、日本人は全体的にみると簡単に騙されてしまうことが多いのです。

そのひとつが、日本人は海外の各国が報道する自国の情報をそのまま信じ込んでしまうことです。歴史が長い国や外交が上手な国は情報戦略に長《た》けています。国際政治において情報戦略は大変重要な戦略のひとつであり、これは「孫子の兵法」でも指摘されています。そして情報社会の現代では情報を制するもの、イメージ戦略を上手に操るものが戦闘に勝利するのです。

この情報戦争においての活動をスパイによる情報活動が主流だと考えている人が多いかもしれませんが実は違います。安全保障や経済をうまく回していくのには、ほかの国の人々に良い印象を持ってもらうことが重要です。

人間は感情的な動物にすぎませんから、いくら理性的なデータを提示されても結局、最後に物事を左右するのは感情の部分です。ある国に良い印象を持っていたらビジネスなどで何か重要な決定をする際にも、そのイメージが頭の片隅に残っているでしょうし、意思決定を左右しないとは言えません。

情報戦略に長けたイギリス

情報戦略にすごく長けている国のひとつが、情報力では世界一ともいえる「イギリス」という国です。みなさんはイギリスというと、すぐに想像するのは次のようなものではないでしょうか。

◇シャーロック・ホームズ　◇アフタヌーンティー　◇王室　◇ツイード
◇質の良い陶磁器　◇豊かで落ち着いた自然　◇理性的で礼儀正しい人々
◇金髪のイケメン貴族　◇執事　◇イングリッシュガーデン　◇キルト
◇ロールスロイス　◇ピーター・ラビット　◇スコーン　◇シェイクスピア
◇ビール（エール、ラガー）　◇イングリッシュマフィン　◇端正な英語
◇名探偵ポアロ　◇ベネディクト・カンバーバッチ　◇ユアン・マクレガー
◇ハリー・ポッター　◇００７　◇ＨＲ／ＨＭ（ハードロックとヘビーメタル）
◇バグパイプ　◇ベッカム　◇クイーン（バンド）　◇リバティプリント

◇アガサ・クリスティ　◇焼き菓子・手作りパン　◇ジェイミー・オリヴァー
◇まずい食事　◇紅茶　◇トップ・ギア　◇うなぎのゼリー寄せ　◇メイド
◇豪華客船　◇セックス・ピストルズ　◇ビートルズ　◇Mr.ビーン　等々

こういったイメージを増強するかのように、日本では雑誌やテレビのイギリス特集でこのようなものがたくさん登場します。

ところが登場するものの多くはイギリスでは戦前、つまり1930年代に盛んだったものや流行ったもので、取り上げられる街の風景は資産価格3億円以上の家が立ち並ぶスーパー高級住宅地で、テレビ番組に登場する「いわゆるイギリス人」も相続資産がある超富裕層の人々や貴族の面々です。

こういったコンテンツが「日本人が好むイギリスの姿」です。ようするに需要があるのです。日本と異なり整った風景で人々はイケメンだらけで落ち着いていて、礼儀正しく優雅に紅茶を飲んで、たまにスコーンをつまんでいる余裕綽々《しゃくしゃく》の生活です。

そこには電柱もカラスだらけのゴミ捨て場も、グチャグチャで狭い戸建て住宅も、怒りまくる客も、ブサイクで不機嫌な顔の夫も、要介護で糞尿を撒き散らして歩く自分の親も登場しません。浸っている限りは、自分はシミだらけの非正規社員で、年金がもらえるかどうかもわからない、という不安から逃げ出すことができるのです。

海の向こうの遠いイギリスには優雅な生活が存在している、自分もそのなかの一員なのだというファンタジーに浸ることができます。雑誌やドラマやテレビを眺めている間だけは、日本でのつらい現実を忘れることが可能です。つまりは中年以上の日本人女性にとっての「セカイ系」「なろう系」がイギリスという国なのです。

日本ではいわゆる「なろう系」と呼ばれるオタク系中年の主人公が魔物や魔女が活躍する異世界に突然トリップして、自分がある力を持って勇者として戦います。こうして美女キャラと良い仲になってめでたしめでたし、というお話が大人気です。

この分野は中高生にも相変わらず人気で、女性の場合は自分がある日突然美形の執事や王子に気に入られて良い仲になるものが受けています。ようするに、みんなつらい現実から逃げたいのです。一方で日本人が愛でるイギリスは、外国人が「私は市川雷蔵と広重と詩吟ときんつばが好きです」とか言い張る感じなのです。

日本人の好みを知り尽くしているイギリス

こういった日本人の特性を、諜報活動に長けているイギリスはよく理解しています。長年イエメンやサウジアラビア、イスラエル、アフガニスタン、シリア、レバノン、インドといった国とやり合ってきた国なので、赤子の手をひねるようなものです。

だからイギリスと日本の関係を強化しなければならない場面になると、なぜか日本のテレビにはイギリスの美しい姿を特集した番組やドラマ、料理番組が放送されるようになります。そしてデパートではなぜか一斉にスコーンやイギリスの高級品を販売し、腕の良い料理人が来日してまでイギリス名物を振る舞います。さらに同じ時期にはなぜかファミリーレストランがイギリス料理フェアをやったりするのです。

イギリスはかなり金銭的な利益に厳しいところです。得るものがなければたくさんのものを顧客に提供しません。つまりは、こういったことが同時多発的に実行されることには意図があるのです。それは現在の場合、日本とイギリスの貿易関係であり安全保障問題であります。不安定な東アジア地域において日本を〝同盟国〟と位置づけ、中国や東南アジアと相対していかなければなりません。

世論がイギリスに好意的なイメージを持っていれば、日本政府は日英関係を強化するのに予算を使いやすくなります。日本人は食べ物に対する思い入れが凄まじく、イギリスの超高級な田舎や王室が大好きなことをイギリス側はよく理解しています。

そういったイメージを日本全国で矢継ぎ早に発信することでソフトな外交をしているのです。当然そのようなコンテンツの提供にはイギリス政府が協力しているものもあるでしょう。さらにイギリスが海外に提供する自国の映画の多くは湖水地方など美しい地域を舞台にしたものや貴族の生活がテーマのものだらけです。

探偵ものにはイケメンの俳優で美しい英語を話す人を登用します。

映画『ピーターラビット』の主要登場人物トーマスが住む湖水地方の家はおそらく評価額2億円から3億円で、彼がイギリス最大の老舗高級百貨店「ハロッズ」で働くことができたのは、コネがある中流以上の家庭出身だからです。言葉のアクセントからして上位の伝統的な私立男子校出身です。彼が保有する家具や食器は高級品だらけで、相続したものも多いのです。温室は最近は一般的なプラスチックではなく、伝統的なガラス製の高価なものなので50万円から100万円ほどするでしょう。

映画『パディントン』で舞台になった家もロンドンの超高級住宅地です。主人公一家の住む家は隣の住戸と壁がつながっている戸建て風の住宅で3〜5億円のタウンハウスです。妻はどうみても相続財産がある貴族系のエキセントリックな人です。

また夫は将来のリスクや不確実性の分析・評価など数理業務を担当する専門職である保険会社のアクチュアリーなので年収が3千万円以上のはずです。子どもたちはロンドン中心部の学費が年に350〜500万円の私立学校に通っています。

映画『ハリー・ポッター』に登場する子役たちは、ロンドンの都市部にある私立学校に通学していた中の上の階級で、親たちは相続財産があったり専門職だったりと、もともと豊かな人々です。子どもに演劇レッスンやオーディションを次々に受けさせる財力と時間的な余裕がある人々でしょう。そういう人たちが、イギリスという国を全世界に宣伝する映画に登用されているのです。

こういった映画やさまざまなドラマなどを制作するのには、イギリス政府や地方自治体の協力が不可欠です。撮影には許可が必要ですし、政府や自治体の少なからずはフィルムコミッションを持っていたり、税制控除を受けていたり、地方の制作会社に支援をされていたりするのです。

つまりイギリスにとってソフト外交を実行するのにふさわしいコンテンツを創る民間事業にはさまざまなサポートがあるのです。遠回しにイギリスの外交を強化する産業に支援をされているわけです。

世界の文化の最終終着点――ニッポン

日本人は海外の「良い部分」に興味を抱き、大切にする人々です。たとえばイギリス文化は日本にいたほうが伝統的なイギリスのものにアクセスしやすいのです。

おいしいスコーン、イギリスのアパレルブランドであるリバティのプリント、質の良い紅茶やティーカップ、スコットランド製ながらタータンチェックの服、バグパイプ、イギリスのハイブランドのカバンや靴やコート、ロンドンを拠点とする老舗百貨店フォートナム&メイソンの紅茶やカフェ、素敵なイングリッシュガーデンに関する書籍や指南書、文字を美しく見せるための手法カリグラフィー、家で焼くパン、ハーブやスパイスのポプリ、アロマセラピー、トレンチコート、イギリスの代表的ブランドとなるマックコート等々――。

このようなものはイギリスのお店でなかなかお目にかかることがありません。中流以下の人々は名前さえ知らないと思います。くわしいのは80代以上のお年寄りです。

アフタヌーンティーの習慣があるのも80代以上か、もしくは家の価格が4億円以上で広大な庭を持つ貴族や資産家の人々です。

ただし新興の富裕層や金融業の人でなく、代々資産を相続してきた地主の人々です。そんな人たちは人口の0・001%もいないでしょう。

もはやイギリスの伝統文化は日本で保存され消費されているのです。日本人が愛でるのは、すでに消え去ってしまった過去のイギリスです。いまの同国は移民だらけで食べ物はケバブやイタリア料理にイタリアンカフェ、カレーにギリシャ料理です。

紅茶よりアルコールで、水曜日になれば金融街は昼から泥酔する人がいます。金曜日には泥酔して道路で倒れていたり嘔吐していたりする女性もいます。

女性はバブル期みたいな露出が凄いボディコン服でクラブに出かけ、不倫をしまくります。レイディはほとんど存在しません。10代で妊娠して父親が違う子どもを何人も産んで公営住宅に住んでいるシングルマザーが、何日も洗っていないスウェットで出歩き、バスや電車で悪態をついてきて、吸い殻をその辺に投げ捨てます。

男性は刺青《いれずみ》だらけで刈り上げたツーブロックの頭で、ジムで鍛えて筋肉隆々。髭《ひげ》面でマッチョなことを自慢する人だらけです。英国俳優ブームの火点け役であり、BBCのTVシリーズ「SHERLOCK／シャーロック」で主人公を演じたカンバーバッチさんのような紳士はいません。

道路は吸い殻とゴミだらけで、麻薬依存症の物乞いの人がいて、バスや電車で乱闘がおこり、車は駐車禁止を無視するのが当たり前。週末には住宅地にて爆音でラップをかけてパーティをやる家とお年寄りの家があちこちで揉めています。

いまのイギリスは完全に変容してしまいました。都市部はすでに40年前の名残すらありません。住民の大半はイギリス人ではなく旧植民地だった途上国の人たちで、インド、パキスタン、アフリカ、中国、トルコ、ポーランド、カリブ海系の人たちが主流派です。

イギリス英語よりインドやパキスタン訛りの英語がうまくなります。

彼らはスコーンにも名探偵ポアロにも興味がなく、金銀ギラギラで原色の服が好きなので、バーヴァーの地味なジャンパーやツイード、同じく地味なリバティの花柄が大嫌いなのです。

伝統文化を日本で見ることができるのはイギリスだけではありません。日本には、昔のフランス文化、イタリア文化、スペイン文化、ドイツ文化も保存されています。ヨーロッパの都市部にいるよりも日本にいたほうがそれらの国々の言葉を学べます。各国の書籍がありフランスのシャンソンもあります。

日本では主にイタリアの１８００年代後半から１９００年代半ばにかけてつくられた大衆音楽のことを指すカンツォーネやフラメンコ教室にも気軽に通えます。

それは母国ではもう死に絶えそうになっているような古い時代の文化です。各国のインテリアや絵画、車、音楽はおそらく日本人のほうがくわしいでしょう。

日本には美しい中華文化も保存されています。日本の博物館には中国の古代の楽器や美術品が存在し、書画があり、中国人や台湾人がわざわざ見に来るのです。中国はさまざまな戦乱で破壊されてしまったからです。

それに中華文明の古典や哲学は日本人のほうが興味をもっています。さまざまな図鑑があり、さらに研究所もあって、一般の人が出かけていくその辺の本屋に『論語』『老子』『貞観政要』があります。美しいデザインに素晴らしい紙の文庫本がわずか一〇〇〇円ほどで手に入ります。

また『三国志』（『三国志演義』）はキャラクターが日本人化されているとはいえ、漫画やアニメで親しんでいる人が多いので、日本人のほうがストーリーや本質にくわしいのです。

そういうわけで、中華文明や古典に親しんできた人が実際に中国へ出かけていくと、がっかりすることが少なくありません。

日本はあらゆる文化の終着地という話がありますが、このような実態を見ているとなんとなく納得します。椰子《やし》の実が流れ着く最後の地なのです。だから日本には寂しくて悟りみたいな雰囲気が漂っているのでしょう。

第7章 世界の「裏の顔」を日本人は何も知らない

世界のホームパーティ文化を日本人は何も知らない

日本人が勘違いしていることのひとつにアメリカやヨーロッパのホームパーティ文化があります。これらの地域の実態を知らない人々は、雑誌やテレビ、ドラマなどでのホームパーティ、いわゆる「ホムパ」の光景を見て憧れ、日本でも真似しようとします。

ちょっと小金持ちの主婦とか意識高い系の女性が読むような雑誌にはそういうわけで、ホムパの美しい写真とかサンドイッチやタルト、カナッペなど、手軽に手でつまんで食べられる料理のフィンガーフードのメニューなどがガンガン掲載されています。そして、なぜかクソ狭い日本のマンションや住宅でそれらの国々のテーブルコーディネートや庭の家具をそっくり真似してみたりするのです。

ところが日本人は、このホムパの真の意味をまったくわかっていません。

ホムパとは、これらの国々で相手が自分の派閥の仲間かどうかを確認するため同調圧力全開で行う恐怖の儀式なのです。生ぬるい社交の場ではないのです。この会に招くか招かれるかは、「お前は俺の敵なのか？　仲間なのか？　それとも舎弟か？」ということを確認するためであり、はっきり言って参加はほぼ強制なのです。

このホムパの意味にもっとも近いものは任侠《にんきょう》社会の〝兄弟の盃〟です。

任侠社会はこのような集いの儀式が大変重要視され、そこで組や自分の同盟に対して忠誠を誓い、それを形にあらわす儀式をおこなうのです。兄弟の杯の交換や、同席して飲食を共にすることがそれに当たります。お互いに飲食物に毒を仕込まず、こういった集いの場では襲撃をすることもなく、自分は味方である、ファミリーの一員であるということを証明しているのです。

実はアメリカやヨーロッパは日本人が想像する以上に大変な部族社会です。その部族は古代のような同じ村や血縁関係からかなり拡大されていて、知恵や血縁に縛られた運命共同体というよりも利益を共有する集団になっています。

たとえば業界内の派閥や会社内での交友関係、上司と部下の関係、学校での子どもの同級生との関係といったものになります。だからホムパに呼ばれるか呼ばれないかということは、その後の人生を左右し、所属している社会での立ち位置を明確にするための重要な儀式なのです。

したがって会社で上司やかなり力を持った目上の人々がホムパを開催する場合、呼ばれたらほぼ完全に出席しなければならないことになっています。これは利害関係の対立が激しく、部族社会的な色合いがたいへん濃いアメリカでは特に強烈です。

ホムパに呼ぶか呼ばないかを他人の目の前でも堂々と公言し、自分の派閥に入れない人間に対してはまったく声をかけないということをやります。さらにホムパを開催したあとはその写真や動画をSNSやWhatsApp（ワッツアップ／チャットツールのひとつ）などで公開し、会社内や業界内での自分たちの力関係や派閥を明確にするのです。

これが富裕層や芸能人となると、そのような写真や動画を週刊誌やニュースサイトなどで大量に公開します。アメリカやヨーロッパの芸能関係における媒体の雑誌は毎週このようなホムパの写真を掲載しています。掲載専門のコーナーまであるほどで、どれだけ人気があるコンテンツかということがおわかりになるでしょう。派閥関係の公開提示がそれだけ重要だということです。

さらにここで重視するのは特に女性の場合、参加者は同じような服装、同じような髪型、同じようなメイクで、写真や動画に登場することです。日本の任侠社会とか珍走団

（暴走族を格好悪く言い表した表現）とまったく同じで、同族であることを示すシンボルはまず見た目です。

だからこのようなホムパで力関係を示すことが大好きな意識高い系の白人の女性たちの場合、意識が高そうな白っぽいセクシーな服、金髪のロングヘア、ナチュラルメイクに見えるが盛りまくった化粧、派手なネイル、ヒールの靴などで同族性を強調します。時にはお揃いのTシャツを着たり帽子をかぶることもあります。

そのイベントのためにわざわざお揃いのものを縫製するのです。そういった服をチャリティーイベントやマラソンなど、さまざまなイベントの都度つくり、打ち上げをやる場面で着用して一緒に写真を撮ってネットでガンガン回しまくるのです。

つまり同じ服を着ることを許されない人間や、招待されていない人間は仲間ではないということを遠回しに言っているのです。イギリスの場合ではここに仮装要素が入ってきます。ようするにコスプレです。こういう力関係を精査するイベントで、テーマごとの仮装を大の大人が真剣にやるわけです。一緒にバカができる人間なら仲間にしてやる、ということこれまたきつい同調圧力がそこに存在しています。

仮装にはそれなりにお金をかけるので、数万円単位で衣装を特注したり、着ぐるみを調達したり、夫婦でお揃いのテーマにしたりとかなり面倒くさいです。しかも仮装が他人とダブったりするのもご法度で、ユニークさや奇抜さがなければなりません。この馬鹿げたことにもお金がかかるのです。

接待や職場のグループ活動も要注意

さらにホムパだけではなく、厄介なのが会社でのさまざまな行事です。アメリカや北欧の会社は日本の会社に比べてやたらと行事が多いのです。

海外の実態を知らない人は、日本の会社はやたらと飲み会や行事が多くて大変というような文句を言っていますが実は大間違いです。近年は日本の会社のほうがはるかにさっぱりしていて、昭和の頃とは違って飲み会や行事もだいぶ少なくなっています。

ところがアメリカやヨーロッパ北部の職場は日本の会社よりもはるかにねっとりしています。たとえば管理職やチームリーダーレベルの人々が合同で泊まりがけの研修や海外の視察旅行に出かけます。そのなかには遊びに近いものもけっこうあります。

だからアメリカやヨーロッパ北部には大企業や超儲かっている会社向けの大変高価なコーポレートパッケージ（福利厚生プログラム）の旅行やイベントがかなりあります。

こういった会社の人々が運賃の高いタクシーで来たり、豪華なドレスを着て一人当たりの参加費が10万円以上のディナーをやったり、競馬やＦ1ヨットのイベントでＶＩＰ席を占領したり、はたまた宿泊代が高価なホテルのイベントルームを貸し切って贅沢で華やかなパーティをやったりしているのです。

日本ではほとんど報道されないので知らない人が多いでしょうが、こういった豪華絢爛なパーティには若くて美しい白人の女性がコンパニオンとして大勢派遣され、露出度の高い服を着て参加者の世話をしたりします。

政治や社会に中立的であり偏見や差別を感じさせない表現をする考え方およびその姿勢を意味する「ポリティカル・コレクトネス」（ポリコレ）や性的平等など、対外的には大騒ぎしていますが、これがアメリカやヨーロッパ北部のお金がある世界の実態です。

こういったコンパニオンをやる女性も、お金がある人々との出会いを求めている方も多いので人気がある仕事です。需要と供給がマッチングしているので批判する人はいません。ポリコレで大騒ぎするようなマスコミとか左翼や女性運動家の人々はこのような金満社会にまったく縁がないので彼らが何をやっているのか知らないのです。

それにメディアや社会運動の団体にとってこういった人々は貴重な資金提供者です。ようするにパトロンですから批判などするわけがありません。富裕層は寄付をすれば自分のイメージがアップし、税金も安くなるので気に入った団体には寄付します。

このようなメディアや活動家も、本当にお金がある人々のポリコレ的ではない活動はいっさい批判しません。それになぜか風俗産業や芸能界の枕営業もスルーなので、世の中はこれが実態ということです。

本音をはっきり言わない欧米の人々

欧米の実態を知らない日本人は「海外の先進国の人々は自分の意見をはっきりと主張する」と思い込んでいます。外国かぶれをこじらせた人の中には「海外は日本よりも自由に意見が言えてかなり個人主義だ」ということを頑《かたく》なに信じている人がいるのです。

ところが長く仕事をしているとこれはまったくのウソッパチであり、大きな落とし穴であることがよくわかります。欧米といっても広いので国によって差はあるのですが、日本と比較すると全体的に本音と建前の乖離《かいり》が激しく、自分の意見をはっきりと言わないことがめずらしくありません。

アメリカの場合ですが、一見、明るい人々でフレンドリーな感じで、彼らは自分の意見や提案を主張するときは、かなり遠回しに語っている場合があります。

たとえば以下のように誰かの提案に反対する場合です。

「わぉ、君、アイデアはすごくオウサム（すばらしい／見事）だね！　すごくユニークだし、君の経験やこれまでの学習がすごく活用されている。前の職場での例のトラブルも活かしていてすごく勉強になるよ。もっと話を聞かせてくれると助かるなぁ」

さらに、ここからが大切な部分です。

「ところでこの前、市況のニュースを見たんだけどね。今の消費者の変化を考えると、もしかしたらこんな方法もあるかなって思ったんだよ。まあ僕の思いつきにすぎないので、君の経験に裏打ちされたアイデアに比べたらどうかとは思うんだけど、どうかな？　まずちょっと市況のデータを一緒に見てみないかい？　けっこう興味深いんだよ」

この思いっきり前向きで長々とした口上から読み取らなければならないのは、以下のような本音の部分です。

◇お前の提案はクソ
◇前の会社の経験は役に立たないんだよ
◇お前、市況がガンガン変わってんのに気がついてないの？　バカじゃねえか
◇お前、市況データ見てないだろ。俺に確認しろよ。一緒に見てやるからよ
◇お前、本当につかえねーな！

つまりこのような超アメリカ人的で前向きな言葉には裏の意味がたっぷりと含まれているのです。ところが海外歴が浅くさまざまな人とつきあった経験がないとこの「裏の意味」を読み取ることができません。

言葉どおりに受け取ってしまうので相手が想定する修正をしなかったりアクションを取らないので、こいつは本当にダメなやつと判断されて降格になったり仕事から外され

ることが多いのです。気がつかないのは当の日本人だけです。

本音を読み取れない外国人

現地で育った人は、こういった本音を読み取ることができています。ただそれを部外者である外国人にはわざわざ言わないだけです。説明が面倒くさいし、相手の日本人の語学力が低すぎてお話にならないからです。

これを日本に置き換えてみましょう。

日本語が微妙なミャンマーやニカラグアの人に、京都の人の「ええ時計してはるわ。あなたにお似合いやわぁ～」という〝ご挨拶〟の真意を説明できるかどうか。

説明した相手に対して京都の悪い印象を与えてしまう可能性もあるし、その外国人には「あんた日本語レベルは低いでぇ」と言ってしまうことになり人間関係が悪くなります。

私はこのような状況に遭遇したことがあります。

イギリス人と欧州大陸人の「本音」が詰まった言い方を、中国大陸の成金の知り合いが理解しておらず、言葉どおりにとっていたので「いや、それ本当はこういう意味よ。気をつけてね。あの人らは本音をはっきり言わないのよ」と教えてあげたら「えっ、そんなはずはないでしょ！　だってあの人はこう言ってるよ。あなた何言ってるのよ？」と返されてしまい、険悪な雰囲気になってしまいました。

案の定、彼もその妻もイギリス人や欧州大陸人の「言わんとすること」をまったく理解しない人々です。40代ですが精神的には日本の中学生ぐらいの感じの素朴さというか単純さ。イギリスで就職活動したものの、有名大学の学士に修士号と博士号まであってイギリス在住20年近いのに結果は数十社全滅でした。

結局、中国本土から持ち出した親や親戚のお金で不動産投資や成功しているとは言えない自営業をやって生活しているという有様です。コミュニケーションがとれないのでまったく採用されないのです。

日本人だけではなく外国人の少なからずが、こういった本音を読み取ることができないので仕事では大失敗することがかなりあるのです。

また私生活でも本心を理解することができないので、現地の人と本当の意味で友だちになっていなかったり仲間に入れてもらえなかったりすることがあります。

男女関係の場合はまた別です。細かい言葉のやり取りを超える部分、つまり性的なものが間に介在するので寛容だし、かえって読み取れない部分を「おもしろい！」と逆に評価されることもあるのです。

本音がもっと複雑な欧州大陸人

こういった本音がはっきりしない部分はアメリカだけではなく、歴史がさらに長いイギリスやフランス、イタリアだとなおさらです。

ヨーロッパの場合は各国ごと、地域ごとの遠回しな言い方、空気感、行間の読み方があるので、その都度、癖を学習し現地に合わせていかなければなりません。

イギリスの場合はヨーロッパ大陸より、お金が絡むと若干〝直球〟な部分があります。

特にドイツやオランダ、東欧圏は比較的直球なところがあって、空気を読まない部分もありますが、それでも日本よりは空気を読ませるところがあります。

フランスはかなり難しく、意外と本音を言わない人々が多いです。これがビジネスの場だけではなく、普段の生活やお店などでも同じなのでけっこう難しいのです。

イタリアやスペインはもうちょっと直球系ですが、特にイタリアの場合は言い方にエレガンスが重要だったりします。喋る言葉、書き言葉も、最初に結論を言わず、まずは美しい言葉で膨らませ、詩のように語ってから最後に本題を述べる。そういう話術が重要で、それができるかできないかがその人の「知性」を表すと考えられているのです。

海外にもある罵詈雑言だらけの裏サイト

日本人は、海外の人々はインターネットでも紳士淑女でとても礼儀正しいと思い込んでいます。それは大間違いです。この章でも紹介しているように意外とほかの先進国では本音と建前の乖離がすごくあります。日本人のほうが私生活や職場では本音をズバッと言ってしまうようなことが多いのです。

海外の人たちは、日本人があまりにも率直で同僚を批判したり酒の席で上司をどんどん批判したりするからけっこう驚きます。ホテルやお店屋さんでも従業員からの報復を恐れないので日本人は文句を言いたい放題です。

そういうわけでリアルな空間でもネットでも日本人は割と本音を言うほうなのですが、本音を吐くことができない他の先進国の人々はネットでうっぷんを晴らしています。

日本ではネットの掲示板などで他人の悪口を書いたりすることやいじめが大きな問題になってきましたが、これはほかの国でもまったく同じです。むしろその凶悪度は日本よりもひどかったりするという側面もあります。たとえば英語圏の場合、そのもっとも有名な罵詈雑言サイトが「４ｃｈ」です。

このサイトは日本の「2ちゃんねる」（現5ちゃんねる）をモデルとして構築されました。ここ最近、引きこもりやニートをあらわすスラングの「自宅警備員」や電子掲示板で否定的な書き込みなどの荒らしをする「トロール」が集まる極悪なコンテンツだらけということで有名で、このサイトからも逮捕者が出たりしています。

2ちゃんねるが以前から存在していた日本では、当局もネット掲示板の監視などを実施していきます。最近では名誉棄損などにずいぶんと意識が高まってきましたが、海外ではそうではありません。意外ですがネットのトロールは放置されていたりするし、警察も物理的な暴力がなければ、なかなか真面目に対応してくれないのです。

たとえばアメリカでは38歳で母親と家に住んでいた子ども部屋おじさんのリチャード・ゴールデンさんが、近年アメリカではナチの信奉者が増えていると会議で指摘した保安官のマイク・チットウッドさんを脅迫して逮捕されています。

ゴールデンさんはネオナチや過激派に対してチットウッドさんを射殺するようにコメントを書き込み、保安官が殺される動画を投稿しています。投稿した直後、警察によって逮捕されているのです。

日本は欧米よりもインターネットの普及が進んでいた

掲示板やSNSでの子ども同士や保護者同士のネットいじめも盛んで、それによって自殺する子どもやティーンエージャーも少なくありません。

またＳＮＳでは学校で気に入らない子どもを入院するまでボコボコに殴りつけたり、刃物で脅したりカツアゲした動画を投稿してアクセス数を稼ぐのが大人気です。いじめの凶暴度が日本よりも激しいので、ネットでのいじめも極悪レベルが高いのです。

海外ではこういった匿名掲示板の歴史が日本より浅いところがあります。それに犯罪予告などが話題になっている日本よりも、一般社会での危険性の認識や当局の対応が遅れていることがけっこうあります。

それはなぜかというと、インターネットはほかの先進国では大学の研究室や技術系の企業でしか使えなかった時期が長く、インターネットのブロードバンド接続も日本より普及が遅れていました。経済格差がすごいので、ＰＣ自体が各家庭にあまり普及していなかったという背景があります。

日本の場合は１９８０年代にＮＴＴが通信回線を大幅に強化し、国全体が豊かで都市部を中心にインターネット接続の普及が急ピッチで進みました。２００１年にソフトバンクが「Yahoo! BB」を開始したのが起爆剤になっています。またそれ以前に日本には光ファイバーでの接続も普及しており、インフラが存在していました。

ところが遠隔地だらけのアメリカは日本よりもブロードバンド接続が各家庭に普及するのが遅かったのです。経済格差や教育格差が凄まじいので、犯罪を起こすような人々は長い間ＰＣへのアクセス方法がありませんでした。さらに地理的な不利益は寒冷地であるカナダでも同じです。

ヨーロッパもアメリカほどではありませんが日本に比べるとＰＣの普及が遅く、通信回線も古かったので、長い間ブロードバンドは夢のまた夢だったのです。

たとえばスコットランドの遠隔地に住んでいた家人の近所では、なんと２００６年まで電話回線で、あの〝ぴひゅるるる〟という奇妙な音とともにインターネットを電話回線でつないでいたのです。大学の研究者や技術者、会社に勤めている人は職場で高速なインターネットを使っていたので問題がありませんでした。

大半の人は教育レベルが高くないので、電話回線でネットにつなぐような高度な作業は不可能です。なにしろコンピュータを使うことができない人だらけなのです。

ＷＷＷを考案したティム・バーナーズ＝リー卿や、現代コンピュータの父であるアラン・チューリングが生み出したイギリスの一般大衆向けコンピュータやインターネット環境はおそろしく貧弱なのです。

これはインターネット自体を発明し巨大ネット企業が存在するアメリカはもっとひどく、格差が大きいのでネットを使いこなしている人は日本よりも案外少ないのです。

ところがスマートフォンの普及で４ｃｈのようなサイトやＳＮＳにアクセスする人が急増しました。それまでネットを使っていた層とまったく異なる人々がアクセスを始めたので、悪意のあるコンテンツや犯罪予告などが投稿されるようになったのです。

第8章　世界の「ヤバいＳＮＳ事情」を日本人は何も知らない

TikTokはアメリカ政府が完全に国家の敵に認定した

２０２３年3月にはTikTok（ティックトック）のＣＥＯがアメリカ議会の公聴会に呼び出され、なんと5時間に及ぶ詰問を受けた件がヨーロッパでも話題になりました。これまでもＩＴなどテクノロジーを駆使したビジネスを展開しているテック企業がアメリカ議会に公共の場で激しい質問を受けることはありました。ところが今回は5時間にも及んだこと、さらに中国との関係を激しく突っ込まれたことで異例中の異例です。

公聴会の動画は以下からC-ＳＰＡＮのチャンネルですべて見ることが可能です。

https://www.YouTube.com/live/_E-4jtTFsO4?feature=share（２０２３年11月現在）

今回のアメリカ公聴会でもっとも驚かされた部分は、会の冒頭で議長のキャシー・ロジャース氏が、冒頭から「バイトダンス（ByteDance）は中国共産党に所有されており同社とTikTokはまったく同じである」とはっきり述べた点です。さらに公聴会の中では次のような問題点が指摘されていました。

・TikTokはバックドアがありデータを中国に送信している証拠がある
・TikTokは嘘つきである
・TikTokの標的は子どもである
・TikTokは中国政府の意思を反映しプロパガンダをおこなっている
・TikTokは麻薬売買を推進している
・TikTokはアメリカに対する脅威であり危険である
・TikTokはロシアがアメリカのテレビで子ども向けのアニメを放映していたようなものだがはるかに危険性は高い

ぜひともみなさんにはオリジナルの動画を観ていただきたいです。そして今回の公聴会は民主党と共和党の共同でおこなわれており超党派です。つまりアメリカ政府は全体としてTikTokの中国共産党への関与を国家的セキュリティへの脅威として完全にみなしていて足並みが揃っています。

アメリカ政府がめざすところはTikTokのアメリカでの完全な禁止と撤退です。また公聴会ではTikTokの情報検閲に関しても、かなり厳しいツッコミがなされました。質問はすべてイエスかノーで答える形になっており、回答を逃れられないようになっていました。

次に質問された3つの例を挙げておきます。

・TikTokでは天安門事件の動画が削除されていたようだが本当か？
・ウイグルでは人権侵害がおこなわれているがTikTokはこれを認めるか？
・TikTokは中国共産党と同一なのか？

TikTokはグローバルカンパニーであって中国共産党とは同じではない、そしてTikTokは人権侵害に対して遺憾であると述べていますが、かなり厳しい回答であったといえるでしょう。上院議員を満足させるような回答はされていません。

またTikTok運営企業であるバイトダンスがおこなっているプロジェクトテキサスは、TikTokのデータをすべて削除しアメリカ国内にあるオラクル社のサーバーに移動して監視をするというものです。

　なぜTikTokがこのようなプロジェクトをしているとアメリカ議会に報告しなければならなかったかというと、TikTokは以前アメリカのユーザーのデータがすべてアメリカ国内に保存してあり他の地域には配信しておらず、またユーザーのデータの閲覧も厳しい制限がかけてあると述べていたのです。

　ところがバズフィード（BuzzFeed）が入手した、TikTokの幹部と外部の監査法人との数時間に及ぶ会議の音声データによると、ユーザーのデータは中国本土、北京に送信されまくっておりました。エンジニアはユーザーのデータを簡単に見ることができたということがわかっています。

　しかし外部に対しては、TikTokはデータをアメリカにおいて閲覧制限を厳しくしていたと数年間にわたり幹部が言い張り、しかも監査をされていた最中にもそれを指摘したわけなので驚くべきことです。これにはアメリカの監査法人も驚愕し、会議でもこれはあり得ないから早急に対処すべきと述べています。

インドネシアに向かったTikTokの通販サービス

このように欧米でも完全に「国家の敵」認定されているTikTokですが、世界には先進国とはまったく異なる政治感や商圏が広がっているのです。中国共産党と関係を保ち、親中派である国も多いのです。

特に発展途上国や独裁国の多くは親中派です。欧米と異なり中国製の通信機器を使いまくり、中国産のSNSも大歓迎です。中国の製品やサービスは安いので、安全性とはトレードオフ（代償）の関係です。

TikTokはアメリカでの禁止の可能性や需要の低下を受けて、アメリカとヨーロッパでテレビショッピング形式の「TikTok Shopping」の提供を断念しましたが、発展途上国向けの市場には食い込んでいます。

TikTok Shoppingはインドネシアで急成長です。アプリ自体は無料ですが、販売者は1〜2％の手数料を払ってプラットフォームを使用でき、TikTokのアカウントに直結が可能です。

利用者の中には実店舗がある事業者も多く、その店舗ではプロのオンライン販売員を所属事務所に送ってもらいTikTokでライブストリームを販売しています。

すでに550万以上がダウンロードされており、2023年4月の時点で月に80万の新規ダウンロードがあります。インドネシアのユーザーはほかの東南アジアのユーザーと同じく「外国のテクノロジー企業が自分や地元ユーザーのデータを使用する」ことは特に気にしていないのでTikTokのセキュリティ問題は話題にすらなりません。個人情報やセキュリティの感覚が欧米とまったく異なるのです。

不法移民の情報源はTikTokのインフルエンサー

東南アジアと同じく、南米や中東、南アジアのユーザーもTikTokによるデータ収集や安全性は気にしておらず、むしろ国の生命線になっていることもあります。

アメリカに移民してくる不法就労者の多くがTikTokに掲載された情報に頼って移動していて、TikTokが移民の情報源になっていることも多いのです。

いまやTikTokはライフラインとして機能しています。特に国境を超えて移動する不法移民や難民の人々にとってTikTokはなくてはならないアプリです。

多くの人はAndroid（アンドロイド）の中国製スマートフォンを持ち、行く先々で100円から1000円ほどの安価なプリペイドのSIMカードを購入して目的地のアメリカやイタリア、ドイツ、フランス、ギリシャ、イギリス、スペインに関する情報を収集するのです。特にTikTokのインフルエンサーが拡散する移民法の改正や移動ルートに関するものは重要で、莫大な数の再生数を稼ぎます。

ロサンゼルス・タイムズの報道によれば、Facebookでもルートや移民法の情報、難民キャンプ、さらに非合法な入国を手助けするマフィアやビジネスの宣伝とか連絡先も次々に共有されます。欧米で大人気のWhatsAppで待ち合わせ場所の予約を取って値段やルートに関する情報を共有するのです。またグーグル・トランスレイトを活用してさまざまな言語にも対応します。

さらに海を超えてイタリアやギリシャにやってくる不法移民や難民もそのほとんどがAndroidのスマートフォンから閲覧するSNSの情報を頼りにしているのです。このように不法移民や難民はスマートフォンやSNSを駆使し、意外とハイテクな手法で長距離を移動してきます。

そしてまたTikTokやYouTubeにアップロードされる先進国の暮らしぶりや福祉に関する動画とか写真が彼らの移動の動機になっている側面もあるのです。

南米からの移民で有名な「移民インフルエンサー」がSoyXulen氏でYouTubeのアカウント「@ELINMIGRANTEAVENTURERO」にて南米からアメリカへ不法入国する道のりの動画を掲載しています。

動画は2023年11月時点でトータル約750万回以上閲覧され、迷彩柄の服でカモフラージュした業者や移民希望者が、ジャングルや荒れ地、山などを経由して移動する様子が撮影されています。

不法入国というよりも日本テレビ「電波少年」で活躍した猿岩石やYouTuberの冒険動画といった雰囲気です。

南米からアメリカに不法入国する移民は「コヨーテ」と呼ばれる業者のターゲットで、一人あたり150万円ほどでメキシコからアメリカへの国境越えが準備されます。

ボートが必要な場合は手配し、そのほか車両での移動や宿泊施設、飲食、服などが用意されることもあります。このような業者はＳＮＳで#bienpagado（#wellpaid）といったハッシュタグを使って集客し顧客の検索キーワードに合わせて広告を出しています。こうした広告やＳＮＳは顧客である移民希望者だけではなく、不法入国をアレンジする犯罪カルテルのメンバーの求人広告も兼ねています。

特にターゲットとしているのはエクアドルやエルサルバドル、コロンビアからの入国です。国の経済が崩壊しており、より良い暮らしを求める人が多いことが理由です。移民希望者には南米の人だけでなく中国人もいます。

ロイター報道によれば２０２３年はエクアドルなどのほかに中国人、また入国にビザが必要ない国からアメリカに不法入国する例が激増で年間３８００人ほどになります。

このようなＳＮＳへの投稿は、アフリカから欧米への不法移民の激増にも貢献しています。たとえばモーリタニアからアメリカへ不法入国しようとする人は２０２３年には前年の７・５倍以上になりました。

これは以前ならモーリタニアからアメリカに入国するには、ブラジル経由でいくことが一般的だったのですが、アメリカに移動するまでの道のりが困難でした。

ところが「移民インフルエンサー」がトルコ→コロンビア→エルサルバドル→ニカラグアと経由して安全かつ以前より簡単にアメリカに到着するルートを発見、アフィリエイトでのコミッション目的で航空券や陸路の移動を宣伝しまくって広げたのです。

ニカラグアまでの旅費は150万円ほどですが、家畜や自営業の会社を売って費用を工面する人が多く、ニカラグアからはさらに別の業者を雇って不法入国します。

Twitter（現X）買収の裏側とイーロン・マスクの野望

近年のもっとも大きな事件のひとつはイーロン・マスクによるTwitter（現X）の買収でした。いまや日本だけではなく、アメリカやヨーロッパ、そして発展途上国であっても大きな影響力を持つのは新聞やテレビなどの媒体よりもソーシャルメディアなのですが、特にそのなかでも影響力の高いサービスが「X」なのです。

イーロン・マスク氏がなぜそんなにXにこだわるのかをTwitterの歴史から読み解い

てみましょう。Xがソーシャルメディアのなかでもっとも強烈な世論形成ツールである理由はその設計思想によるものです。

もともと若い時に企業向け書類等の配送人をやっていた創業者のジャック・ドーシー氏は、顧客がどの時間帯に配送物を受け取ることができるのか、ほかの配送人はどこにいるか、荷物はどこにあるのか、現在の交通状況はどうなっているのか、ということがリアルタイムでわからず頭を悩ませていました。

1990年代のアメリカには、これらを知ることができる使いやすい手段は存在していませんでした。顧客にはいつ荷物が届くかわからなかったし、日本の宅配便のような細かい配送時間指定サービスや再配達サービスなどもなかったのです。

携帯電話を使えばよいのではないかと指摘する人もいるかもしれないですが、携帯電話サービスは日本より遅れている有様でした。

これは実際に私が留学中に体験したことですが、通信が途切れたり不通になることは日常茶飯事で携帯電話のメッセージサービスであるSMS（ショートメッセージサービス）は大幅に遅延したり届かないことが頻繁でした。これではまったく業務に使うことができません。

アメリカは日本よりもはるかに国土が広いため、携帯電話を含め通信には大変な労力とコストがかかります。通信インフラは気温や天候の影響も受けますが、アメリカは気候が厳しいところも少なくないのです。

アメリカはこのような通信環境に直面していたので、ドーシー氏はＳＭＳのように気軽に使えて、リアルタイムでちょっとした通知を多くの人に拡散できるサービスがあったらいいのではないかと考え、当時普及しはじめていたインターネットを使ってサービスを提供することを設計したのです。

仲間たちはアイデアを気に入り、電子的な音楽ファイルを共有するサービスを考えていましたが、これが発展し「Twitter」となったのです。

いまや戦略兵器となったTwitter(現X)

このような設計思想を有したTwitterは、当初１４０字のテキストを迅速かつ途切れることがなく「多くの人に拡散すること」を目的としていました。Twitterにはリツイートや引用機能が付いているのはこのためです。

Facebookや Instagramのように画像や動画に注力しなかったことにも理由があります。ファイルは重くなれば通信回線に負荷がかかり拡散するのが大変だからです。機能はごくシンプルで通信帯域が不十分でも使えるようになっていました。

軽くてシンプルなTwitterは、ひとりの人間が自分のメッセージを多くの人にグローバルな規模で、しかもリアルタイムで拡散できるため、〝核弾頭を積んだ拡散器〟となりました。このTwitterが普及しはじめると、各国の政府や関係者は政治言論を拡散するための道具として活用が盛んになったのでした。その結果が現在です。

ロシアのウクライナによる侵攻でもメッセージ拡散ツールとなっています。ウクライナ軍はXをロシア軍の攻撃箇所の特定や移動通知のツールとして使っているほどです。ロシア側もプロパガンダの拡散にXを使用しています。

つまり拡散力という点でXはほかのSNSをはるかにしのいでおり、全世界に張り巡らされたインターネットの「ネットワークとしての特性」にもっとも向いている道具だといえるのです。軽くて使いやすい拡声器のようなものです。そのTwitter、現在のXをマスク氏は「スーパーアプリにする」と公言しています。

２０２３年8月の時点でXには音声通話機能、つまり実質電話機能が追加されることになっているし、YouTubeよりも長い動画を投稿する機能が実装されています。

ツイート投稿の表示数などに応じて条件を満たすユーザーにはすでに広告から得た収入が配分されています。影響力のあるアカウントだとXからの支払いだけで生活できてしまう金額になっています。支払いは迅速で、報酬が確定すると即支払われるから驚きです。２０２３年8月時点だと2週間ごとの報酬をまとめて支払うようです。

またマスク氏は、作家やブロガー、動画投稿者などが、すべての活動がXでなされて収益を得るようにできることをめざしています。

すでに長文投稿は可能なので、ブログから移行してきている人もいるし、広告収入の配分はYouTubeに動画を投稿するよりもはるかに報酬が高くコンテンツの自由度も高いので、ほかのＳＮＳからチェンジしている人も少なくありません。

時間は多少かかっていますが、有言実行でマスク氏は言ったことをすべて実行しているので、おそらくXは本当に多機能なスーパーアプリになるのでしょう。

ブラジルの非合法金鉱インフルエンサー

南米では「鉱物発掘インフルエンサー」が大人気です。

ブラジルでは金を非合法なやり方で採掘する方法を指南するインフルエンサーが大活躍しており、各種SNSで絶大な人気を集めています。

このようなインフルエンサーは発掘のポイント、発掘方法などを動画で解説しますが、スパチャ（SNS上のチップ）や金属探知機など採掘グッズの販売で儲けています。

発掘先への航空券やバスのチケットなどをアフィリエイトでも稼ぐことが可能です。

見るほうは生活のために必死なので、インフルエンサーの動画への食いつきも他の分野以上です。少し前の暗号資産やFXで儲けましょうという界隈、ノマド界隈に似たものがありますが、やはりスケールが違います。

しかしこのような動画のお陰で、無許可で採掘するユーザーが激増中です。先住民の所有地へ勝手に入って作業するためトラブルが発生しており問題視されています。

SNSは古すぎ！　これからはAIアイドルで稼ぎまくれ！

いまやSNSで他人と交流するのは時代遅れかもしれません。最先端は、AIで作成されたバーチャルなガールフレンドやアイドル、推しとの交流で、これが海外では現在のところ大人気になっています。

たとえば23歳でフォロワー180万人のスナップ・チャット（Snap chat）におけるインフルエンサーのカリン・マジョーリーさんはCarynAI（https://caryn.ai/）と呼ばれるバーチャルアイドルをAIで作成して、ユーザーと自動で交流する仕組みを創り上げました。

OpenAIのChatGPTを使用して作成されていますが、過去のテキストや音声データ、YouTubeの動画のほかに、新たに数千時間分の会話を録音し、コーディングには2000時間以上が費やされています。会話は1分1ドルで、開始1週間で1千万円以上を売り上げているのです。

実際にチャットと対話したニューヨーク・ポストの記者によれば、大半のトピックで自然な会話が可能だったのですが、「私はAIだから……」と返答されることも少なくなく困惑した模様です。またほとんどのユーザーは男性で、過度に性的な話題をふる人も多く、数日間で振られてしまう例も続出しています。

SNSに自ら投稿するのは古い！　これからは自動化せよ！

このようなバーチャルアイドルとの会話は他のSNSでも可能になっています。自分がいるようなふりをしてSNSでAIに自動投稿させるのです。

Xユーザーの@levelsioさんが遊牧民の友人の2013年と2022年のライフスタイルの変化についてツイートし、それに対してエンジニアの@pragyanatvadeさんがChatGPTで作成したツイートで返信したことが話題になっています。

@pragyanatvadeさんは職歴10年の開発エンジニアで、スタートアップ企業も経営しています。このツイートはChatGPTで作成したもので、ChatGPTで遊んでいるうちにやってみたと告白しています。

私もこのツイートを見てみたのですが、人間が書いたツイートとは見分けがつかず、文法も正しいものでした。この人のやり取りを見ていた人々もしばらくは気がつかなかったようです。ChatGPTは学習したデータから会話的なデータを生み出すので、このようなやり取りが可能になるのです。

第9章　世界の「エンタメ最新事情」を日本人は何も知らない

褐色の肌の姫と7人のおっさんとおばさんとクリーチャー

最近の先進国のトレンドとして政治的に正しいポリティカル・コレクトネス（ポリコレ）な映画やテレビ番組、雑誌、ニュースなどを配信することが当たり前になっています。

日本と異なり、特に人種や宗教などが多様な欧米ではこのポリコレコンテンツを配信することへの圧力が凄まじいです。各地のテレビやネット、書店などを覗くと実に当たり障りのないコンテンツだらけどころか、なんとこれまでの古典やスーパーヒーローの話をポリコレに合うように思いっきり作り替えてしまうことが起きています。

この圧力がひどくなったのはここ15年ほどです。さまざまな活動家や圧力団体からの働きかけにより特に大きな企業ほどポリコレに配慮したコンテンツを提供しなければビジネス活動が批判される状況になっているのです。

たとえば2024年3月にリメイク映画が公開予定のディズニー『白雪姫と7人の小人』は、もはや題名さえも変更され『白雪姫（スノーホワイト）』です。

原作ではドイツ系で真っ白な肌のはずの白雪姫はもはや白人ですらなく、コロンビア系アメリカ人で褐色の肌のレイチェル・ゼグラーが演じます。彼女は自身のツイートで、「はい、私は白雪姫です。私はその役割のために肌を漂白していません」と投稿、のちに削除しました。

7人の小人は「無用な偏見を植えつける」という理由から「魔法の生き物」に置き換えられていますが、性別、民族、身長が混在した「7人のおっさんとおばさん」の軍団に変わっています。白雪姫は可憐なプリンセスではなく、強いリーダーシップを持った強い女性に変更されました。しかも意地悪な継母は、ワンダーウーマンのスターで、かつイスラエル人のガル・ガドットで、これまた人一倍強い女性です。

『白雪姫と7人の小人』はもともとドイツのグリム兄弟が1812年にドイツなどのさまざまな民話や童話を集めた際に出版されたものです。ドイツの民話などが元になっており、その元となった話は中世から存在していたとされています。さらにドイツのいろんな都市も、我が地方の民話が起源だと主張してきたことで有名です。

査読付きの学術雑誌『ジャーナル・オブ・アメリカン・フォークロア』に掲載された

「The New Comparative Method: Structural and Symbolic Analysis of the Allomotifs of "Snow White"」と呼ばれる論文のレビューによれば、白雪姫の話はヨーロッパのさまざまな民話の影響を受けているようです。

この話に登場する娘の死を望む邪悪な継母は、ヨーロッパの古い民話や典型的な話に引きずられています。ギリシャ神話に登場する邪悪で憎しみと嫉妬心に満ちたメデアとフェードラ、またアイルランド神話、ウェールズ、そして北欧の昔話にも登場します。

古くからヨーロッパでは、ドワーフ（小人）やゴブリンのような小さな身体をした妖精は神話の中における重要なキャラクターです。地下で鉱業や金属加工に従事し、魔力を持ったハンマー、龍を倒す武器、宝石などをつくる重要な役割を果たしています。

ニーベルンゲンの歌にも登場します。近年だとイギリスのファンタジー作家であり、北欧の神話や民話をモチーフとしていたオクスフォード大学の言語学者であるトールキンの『指輪物語』『ホビット』でも主要キャラクターです。

古来よりヨーロッパの伝説や昔話では小人は神聖な存在であり、深い意味を持つキャラクターでした。ところがアメリカに連れてこられた『白雪姫と7人の小人』のお話では、小人たちはただ単に幼稚な子どものようなキャラクターとして描かれ、その神聖さや魔術の重要性が取り払われてしまっているのです。おそらくアメリカ人には北欧神話やギリシャ神話の知識がなかったのでしょう。

こうした奇異な展開を日本に置き換えてみました。日本の民話や伝承、歴史的事実をアメリカ人が勝手に自国へ持って帰り、ハリウッドで政治的に正しい話にしてしまうのです。たとえば豊臣秀吉は背が低いおっさんではポリコレ的には正しくないので、アフリカ系の巨大な女性に置き換えられるでしょう。

切腹やはりつけは残酷なのでデコピンにすり換えられる可能性もあります。

桃太郎も悪い鬼を退治するという話はなんとも差別的なので、まずは桃太郎自身がゲイに置き換わり、桃から全裸で出てくるのは教育的によろしくないのでウェットスーツを着たままになるでしょう。そしてここは多様性を反映すべく、桃太郎を拾ってくるおじいさんとおばあさんはロシア人と中国人になるはずです。

さらに動物を家来にするのもこれまた差別的なので、桃太郎と家来は立場が同等で、きちんと契約を結び金銭的なやり取りも発生します。家来になる動物や人々には発達障害者、トランスジェンダー、高齢でおむつをしている人も入れなければなりません。

こうして鬼たちは退治されるのではなく、桃太郎たちとの話し合いと、「あつまれ どうぶつの森」をやって仲良くなって「めでたしめでたし！」という結末になるかもしれません。このようにアメリカはヨーロッパの古典的なお話に、こういった改変を勝手にやっているのです。

アメリカのディズニーが制作している白雪姫は、長い伝統と歴史があるヨーロッパの伝説や民話を元にした大変深い話の『白雪姫と7人の小人』を自分の国へ勝手に持ってきて、表層的な考え方で政治的に正しい話につくりかえました。それは薄っぺらなアメリカ的イデオロギーが全面に出ているものになったというほかないでしょう。

やはり自分のところの歴史が浅い部分は、他の土地の伝統や歴史の重みに敬意を払うべきであるということが理解できていないのです。

ポリコレやり過ぎでディズニー大失敗！

このようなアメリカのやりたい放題なポリコレに消費者は口を閉ざしているわけではありません。過去10年間でディズニーはこれまでより進歩的なイメージを創る方向にビジネスを引っ張ってきました。ストリーミングサービス「Disney＋」の立ち上げ以来、特に左寄りのコンテンツを重視し、子どもには古典を改変したコンテンツを流して親にも観てもらえるように説得しています。

ところが消費者は、自分たちが慣れ親しんできた古典的なお話やスーパーヒーローまでポリコレになってしまうことに多大な不満を抱いています。それが揺り戻しを引き起こす状況になっているのです。

左系に寄り過ぎたコンテンツは内容が微妙なので、消費者離れを引き起こしています。２０２２年第４四半期だけでDisney＋は２００万人以上の加入者を失ったことが発表されています。古いキャラクターを進歩させ、ドラマや映画から不快なイメージを取り除きましたが、行き過ぎたコンテンツからはおもしろさが消えたのです。

さらにディズニーにはネット上では「反白人プロパガンダ」「Wokeショー」といった呼び方をされるアニメまで登場しています。このWokeとは、差別問題や人権問題などに対して「自覚している」といった意味で使われるスラングです。

またブルース・スミスが監督した『The Proud Family: Louder and Prouder』（全力！ プラウドファミリー）では黒人の子どもたちが黒人に対する社会の賠償についてラップし、「奴隷がこの国を建てた」といったことが大問題になり反論が起こりました。

さらにこの番組の中では、アフリカ系男性のキャラクターが白人男性の配偶者に白人の心の脆さ（white fragility）について説教するシーンが登場します。

これは白人たちが人種問題に向き合えない脆さを表現する言葉で、米国の社会学者ロビン・ディアンジェロが2018年6月に出版した著書『ホワイト・フラジリティ 私たちはなぜレイシズムに向き合えないのか？』によって定義された著者の造語です。

白人は普段から自分の人種に関して考えることがないので、少しでも人種に関する話題を出されるとオーバーリアクションし、自己正当化に走るという論考です。

ところがこの番組は土曜日の朝、小学生向けに放送されるアニメで、番組中にアフリカ系の人が白人を延々と非難するので「過激すぎる、政治的すぎる」と批判の的になりました。

さらにディズニーが2022年後半にリリースしたアニメ映画「ストレンジ・ワールド」の興行収入が思わしくなかったのも今のトレンドを象徴しています。この作品はディズニー初、ゲイのキャラクターが主人公として制作されました。

ところが1億2000万ドルから1億3000万ドルの巨大な予算が投入されたにもかかわらず、アメリカの感謝祭でなおかつ週末の興行収入で2000万ドルさえ稼ぎだせず大失敗作品となります。最終的には7300万ドルの収益を上げたにすぎません。

これはディズニーがもっとも失敗した作品である2002年の「トレジャー・プラネット」の1億1000万ドルを下回ってしまいました。

一般観客による評価も悪く、映画評価の調査会社のシネマスコア（Cinema Score）で「B」となり、Aマイナスを下回る最初のディズニーアニメーション映画になりました。

「小学校低学年が観るアニメなのに性的なことを語ってほしくない」「性教育が必要な

ら家でやる」など評価サイトやXを見ると、保護者と思われる人からの苦情が大量に掲載されています。アメリカのXユーザーであるパトリック・ベト・デイビットさんは、「子どもと観にいったら開始10分で映画館を出たいと言いました。ディズニーは誰がお金を払って映画を観にくるのか忘れている」と述べています。

このようなディズニーをはじめとする行き過ぎたポリコレコンテンツは「Get Woke, go broke」、つまり「Wokeをやって破産」とネット上で揶揄されています。

YOASOBIが世界を制覇する

ここ最近は日本でK-POPが人気であり、世界でも人気上昇中だということが報道されがちです。しかし日本のポップミュージックやアイドル系のコンテンツもまだまだ強く、K-POP以上の人気を博しているものも存在します。

現在、世界中で話題になっている日本の音楽がYOASOBIです。2023年4月に発売された新曲「アイドル」が米ビルボードのグローバルランキング（米国除く）で第1位に輝きました。これはJ-POPの枠をはるかに飛び越え、日本の音楽として初の快挙を成し遂げているのです。

2023年9月の時点でYouTubeでは3・1億回以上も再生され、世界で人気ランク40位のミュージッククビデオクリップになっています。この「アイドル」は単行本で900万部以上を売り上げた漫画「推しの子」アニメ版の主題歌です。

ところで、YOASOBIがなぜ海外でこんなに人気なのでしょうか。

まずアニメとのコラボという点がもっとも重要です。

現在、世界ではさまざまな合法アニメ配信サイトがあり、海外の視聴者はほぼリアルタイムで日本の最新作を観ています。「推しの子」は大ヒット作のひとつであり、いまや日本の曲で流行るものはその多くがアニメ関連です。日本のアニメはコンテンツとしてまだまだ強く、世界的な訴求力があるのです。

アメリカやヨーロッパの映画やドラマがポリコレだらけでストーリーにおもしろみがないなかで、日本のアニメはそれらを無視した独自の世界観やおもしろさがあります。ほかの文化圏から隔離されているからこそのおもしろさです。

メロディが次々に変調し、ほかの先進国の音楽ではみられないような独特なコード進行のユニークさがあるのも重要です。ほかの国のメロディからするとかなり複雑ですが、最近のＪ‐ＰＯＰではよくみられるパターンも登場します。

とはいえ、ほかの国の人からすると独特でユニークかつ耳に残りやすいのです。欧米のロックやポップはメロディが日本よりも硬直的で、途中にラップ調の部分もあり、メタル的、ロック的、バラード、ラップが混在しています。

このように多様な要素がひとつの曲に含まれた柔軟性は、昭和の歌謡曲やＪ‐ＰＯＰを海外の人が聴くと指摘されてきたことであり、これはよく知られています。西洋の伝統的かつ音楽的な背景を無視して自由にメロディを創り上げるので独特なのです。

次に中毒性があり、速いが独自のビートです。

これは「歌ってみた」「踊ってみた」で自分の歌や踊りを投稿するのにたいへん向いているビートです。特に最近のネット動画では短くインパクトがあるものが受けやすいので、こういった速いビートで耳に残りやすいものが聴衆を虜にするのです。

ボーカロイド系の音楽が世界的に受け入れられるようになってきた点も重要です。

20年ぐらい前、まだ初音ミクがほとんど認知されていない頃、日本でも海外でもボーカロイド的な機械音声はあまり受け入れられていませんでした。

ところがネットのコンテンツでさまざまなボーカロイドが広がることにより、一般ユーザーにもかなり受け入れられるようになってきたことがたいへん重要です。

それが日本や欧米の先進国だけでなく、メキシコや中東アフリカなどにも広まっています。動画サイトでボーカロイド的なコンテンツがどんどん広がっているのも重要で、いまの小・中・高校生にはボーカロイドの音楽が主流になっているのです。

TikTokで曲がシェアされることも重要です。世界の若い人々はTikTokでランダムに流れてきたりシェアされたりする音楽から好きなものを選びます。

短時間の動画が多いので、そこで目を引き付けるビデオクリップ、つまりクールでサイバーパンク的な雰囲気もあり、スピーディなアニメと耳に残るキャッチーでビートが効いたメロディがヒットの要因になったのです。YOASOBIの曲の歌詞は他の先進国の曲よりもストーリー性があり、独特な世界があることもヒットの理由です。

ここ20年ほどは他の国の音楽はビートが主流で、歌手はまったく意味がなく歌えない曲が多かったのです。１９７０年代から１９９０年代の、メロディが美しく曲の中の歌詞に意味があるものは最近ではほとんど消滅してしまったといっていいでしょう。

ところがＹＯＡＳＯＢＩをはじめとする最近のＪ‐ＰＯＰやボーカロイドの曲は個人の内面を率直に描き出したものが少なくありません。ほかの国の音楽は商業的な部分を強調するあまり、意味のある歌詞がないものばかりです。

聞き手である若者の内面に共感するような率直な感情の表現や、人生のダークな面を正直に描いたものが実に少ないのです。これはほかの国ではやはりポリコレが優先していることもあります。また特に欧米では自分の弱さや正直な感情を表現することが社会的に制限されている部分があります。

とにかく自分の優秀さや完璧性を前に押し出していかなければならないので、人生の辛さや自分の弱さを率直に語ることがたいへん難しいのです。

ところが他国の若い人々は小学生の頃から激しい競争にさらされ、経済格差は拡大する一方です。住んでいる地元は暴力や麻薬に溢れ、家を一歩出ればゴミだらけのところに居住している人もかなりいます。特にアメリカの場合は大学の学費が20年前の５～６

倍になってしまったこともあり、大学へ行くことができない若者もいるのです。

欧米も家の値段がここ20年ほどで高騰してしまい、若い人たちは家を買って資産を築くこともできません。雇用環境が不安定なので親たちは非正規社員になってしまい、失業していることもあります。その一方で福祉や医療は悪化し、生活の質はどんどん落ちているのです。

若者の暮らしはあまり楽ではなく、ロシアの戦争や燃料費の高騰、仕事も昔よりはるかに専門性が求められるという現実が目の前にあります。自分の親世代よりも生活レベルが下がることが目に見えています。そんな状況下で世の中や芸能界に対する風刺ともいえ、また心の闇も率直に告白するYOASOBIの歌詞は新鮮なのです。

少数派が多数派になっているイギリス

イギリスのテレビや広告には人種的少数派やLGBTQの人々が登場することが多いので、実にさまざまな人を目にすることが多いです。これはテレビ局や各企業が社会の多様化を推進しているためです。さらにはあらゆる年齢層や体型の人、障害がある人、いろんな地域の人を登場させる配慮がおこなわれているのです。

たとえば企業の宣伝に登場するのは、いまやアフリカ系や南アジア系、東アジア系が多いです。ゲイを公言している人の起用も少なくありません。生活必需品や化粧品、子ども用品、アパレルなどの宣伝にはダウン症などの障害がある人が登場することもめずらしくありません。

広告に出るモデルを派遣するエージェンシーのカタログを見ると、驚くべきことに白人の子役や成人はむしろ少なく、有色人種だらけで東洋人やアフリカ系を家族まるごと起用する企業もあるほどです。さらに障害のある子役もプッシュされています。

ようするに、それだけ需要があるということです。モデルたちの見た目もかなり個性的で、美形が並ぶ日本のエージェンシーとは様相がだいぶ異なるのがおもしろいです。

歯並びが悪い人、そばかすやシミだらけの人、肥満の人、すごく痩せている人、目の色が左右で違う人、爆発したような髪型の人など、売りにする部分が日本とは異なり、単に「美しい」というより個性的であることが重要でイギリスらしいです。

高齢者や熟年のモデルも大勢います。年齢差別という指摘を避けるために企業はある程度、歳をとっている人も雇用するのです。

イギリスではニュースキャスターや解説者にも多様な人々を配置するのが当たり前になっています。ロンドンやイギリス南部で放送されているBBCやITV、チャンネル4、5といったテレビ局の朝・昼・夕のニュースキャスターは白人がほとんどいません。インド、イラン、イラク、アフリカ系といった旧植民地の移民1世、2世、3世だけで、白人キャスターで特に中年以上の男性が少数派になっているのです。

日本のような若い女性キャスターはほとんどいないし大半は年増です。クイズ番組の司会者やニュース解説者、お天気解説者が障害者であることもめずらしくありません。彼らはその道のプロであり、単に属性だけで選んでいるのではないのです。

イギリスのクイズ番組やドキュメンタリーの司会者であるワーウィック・デイヴィスさんは『スター・ウォーズ エピソード6／ジェダイの帰還』でイウォーク族を演じ、『ハリー・ポッター』シリーズのフィリウス・フリットウィック教授役が有名で、演技も司会も一流です。

少数派への配慮が過剰なイギリスのテレビ業界

ＢＢＣの政治報道で有名なジャーナリストには視覚障害がある人や、戦争報道の際に負傷で車椅子使用者になった人も登場します。ＢＢＣは戦地にも自社のジャーナリストを送るので、爆撃で片目を失った故メリー・コルビンさんのようなレポーターがいます。それでもすぐ仕事に復帰してレポートするのです。

超有名なスポーツ解説者のクレア・ボールディングさんはレズビアンでかなり優秀な方です。またＢＢＣでもっとも人気があるトークショーの司会者はゲイのグラハム・ノートンさんです。さらにＩＴＶの朝のワイドショー『This Morning』の健康コーナーでコロナや健康情報を解説するのはインド系やイスラム教の医師で栄養士はアフリカ系です。

そして金融アドバイスはアフリカ系、料理はギリシャ系やイタリア系、ファッションアドバイスは中国系、スポーツ報道は南米系と、いろいろな人がいて飽きません。

ところが最近はテレビ局や企業が気を遣いすぎるあまりに外国人や障害者、ＬＧＢＴ

Qの人々の方が多数派になってしまいました。そのため白人の人々や異性愛のカップルがほとんど登場しないテレビ番組や広告が増えています。これもある意味、現実社会を反映していないので問題があるのではないでしょうか。

世論調査会社のユーガブ（YouGov）が実施した最近の調査結果によれば、イギリスの45％余りの人々は「人種的少数派は大きな比率を占めすぎている」と答えているが、26％の人は「少なすぎる」と回答しています。また44％のイギリス人はLGBTQの人々はテレビのスクリーンで大きな比率を占めすぎていると答えています。

この世論調査の結果は、「常識のためのキャンペーン」という主旨の活動を推進する団体が「BBCの番組はイギリスと認識できない内容だ」と指摘する報告書を発表した数週間後に公表されたのですが、大きな話題になっています。

主要ブランド500社のマーケティング部門による2017年の回答では、「認識された差別を防止するため多様性を推進することに注力した」と述べています。

これを実現するためにキャンペーンでは、白人と異性愛のカップルを使うのを避けたと認めている企業もあり、この調査における回答者の違和感を裏付けています。

このようにイギリスでは「少数派への配慮がやりすぎなのではないか」という意見も目立ちはじめています。

日本では渋谷区が公衆トイレを改築した際に、女性用トイレを廃止して性別や障害の有無を問わない「多目的トイレ」と「男性用トイレ」のみにするということが起きました。これは女性の間で不安が広がったのですが、少数派に対する配慮をしすぎるあまりに人間社会における本来の需要を無視するのは考えものです。

インド映画とナショナリズム

海外では映画が思わぬ社会的な軋轢を生み出してしまうことがあります。

最近話題になったのは2023年に公開されたインドの『ケララ物語』（The Kerala Story）という作品です。インドでは映画が娯楽の中心的な存在で相変わらずボリウッドは好調を維持し、年間に1000本以上の作品を産み出しています。最近のインドの発展を反映して、さまざまなSF映画や昔よりも予算をかけた大作だけではなく、ドキュメンタリー調の映画も制作されるようになっています。

ところが小規模な制作会社による『ケララ物語』は、なんと法廷闘争になったうえに各地で衝突が発生し殺人事件にまで発展してしまいます。

この物語はフィクションなのですが、キリスト教徒とヒンドゥー教徒の女性たちがイスラム国に加入する流れを描いています。看護師になりたかったが、自宅から誘拐され、ISIS（アイシス）のテロリストになり、アフガニスタンの刑務所に収監されて改宗したイスラム教徒の女性が登場します。

政府与党やナレンドラ・モディ首相はネットで同作品を積極的に宣伝し、ヒンドゥー教原理主義が強い地域では地元政府がチケット代を割引するなどの特典があります。イスラム教への嫌悪を煽るヒンドゥーナショナリストのプロパガンダだとの声が挙がっており、衝突が発生する事態になりました。

カシミールの人民民主党に所属するメフブーバ・ムフティ前州首相は、「インド政府が衝突を煽る映画を通じて暴力を促進し奨励しているのは衝撃的だ」とXで記しています。

製作者は3万人以上の女性の体験を元にしたと述べており、裁判では「偏見はない」として無罪になっています。

マハーラーシュトラ州のアコラ市では実際に映画をめぐる対立が発生し、1名が死亡、135人が逮捕されています。ジャンムー市での衝突はふたつの学生グループ間で発生しました。イスラム教徒の学生グループが反対したWhatsAppのグループで『ケララ物語』をめぐる議論をはじめたとされています。

この映画だけではなく、最近日本でも話題になったインド映画『RRR』も政治的な問題を多分に含んでいます。これは史上4番目に高い興行収入を記録したインド映画で、Netflix（ネットフリックス）では4500万回以上視聴されました（2023年11月時点）。

壮大なアクションとSFを含むこの映画は、娯楽としてはおもしろいのですが、現在のインドにおける強烈なナショナリズムのうねりを反映したものでもあります。

インド南部にあるテルグ地域出身のフリーダムファイター、いわゆる自由を求めて戦う闘士が、1920年代のイギリス帝国主義と戦う姿を描いたものです。

この作品の冒頭では、絵に描いたような悪徳な大英帝国と白人領主、さらには散々な目に遭う現地の人が出てきます。事実を捻じ曲げた誇張も入り、白人のイギリス人兵士や植民地領主は、中国の反日映画に登場する日本兵と似たような描き方です。

彼らは凄惨な死を遂げ、遺体はおぞましい状況。冒頭からイギリス人や子どもと一緒に観ることもはばかられる内容です。

そしてこの映画全体を支配するのは上流カーストと、彼らの支配に喜んで従う人々が、白人やイスラム教徒などの「外敵」を倒すという物語です。肌の色が白い上流カーストが英雄として活躍する話はカースト制度の肯定でありインドの古典叙情詩そのものです。それはヒンドゥー教徒の古典的な世界観を反映しています。

現在のインドではイスラム教徒を侵略者として描き、勇敢なヒンドゥー教の英雄が活躍する作品がヒットしていますが、このようなナラティブ（物語）を強調する作品が受けるようになっているのは社会情勢を反映しています。昔のインド映画のように、お気楽な恋愛話やコメディが大ヒットする時代とは変わってきているのです。

ちなみに『RRR』はイギリス国内でメディアが取り上げることは少なく、ある意味タブーのような扱いで、インド人が多い地区の映画館でも大々的に上映されていませんでした。それは日本で反日映画を上映するようなものなので、おそらく政治的な議論を呼ぶ作品は避けられるのでしょう。

背景を知らない日本の観客は、サブカル的な「おもしろ映画」としての扱いでしたが、この映画が何を意味するかを知らずに、さまざまな背景を抱えたインドの人、イスラム教の人、ヨーロッパの人の前で話題にするのは注意が必要です。

これぞ「日本人は世界のニュースを何も知らない」そのものなのです。

第10章　世界の「重要なニュース」を知る方法

今回の書籍でも「世界のニュースを知る方法」についてご紹介します。

今回は最近著しく話題になっている「AI」をどのように活用して世界中のニュースを効率的に収集し、読み込むかということを解説したいと思います。

AIを理解し正しく使う

AIを私的作業に正しく使うのには、最初にAIはどのような仕組みになっているかを大まかに理解しておかなければなりません。

日本でもっとも話題になっているChatGPT（https://chat.OpenAI.com）はあくまでWeb上に公開されている情報を集めてきて、ツールを使う人の質問に沿ってアウトプットする道具にすぎません。

したがって文書化されてWeb上に公開されていないものは検索ができないという問題があります。さらに一般向けの情報が中心なので専門性の高いものは探すことができないことが多いです。知的産業に関わる方や、特に学生さんはそこをよく理解しなければなりません。

AIを文書や書籍内の情報検索に使う

一方でAI自身はたいへん便利なソフトウェアです。新しい知識を得るための素晴らしい道具になります。研究者や私のような著述家は、多くの論文やニュースに日々目を通さなければなりません。ソース選択にも時間を要するので、とにかく数多くのものを読み込まなければならないので時間がかかるのです。

ある論文や記事からちょっとしたデータを探したいときや定義を見つけたいときもすべて手動でやっていると多大な時間がかかります。かといって助手を雇うお金もありません。そういった際にAIを補助的なツールとして使うと実に便利です。

たとえば「genei」(https://www.genei.io/)というAIツールは、読書、注釈、メモ作成のためのAIを搭載しています。自分が読みたいと考えている論文や本の一部をこのツールに入れておけば次のようなことが可能です。

・第1章にはイーロン・マスクの生い立ちが含まれているか？
・ブラックホールの定義は何か？
・GATTが成立したのはいつか？
・国際協調主義に関する文章を抜き出せ！

このような質問をして、自分で論文や書籍をすべて読んで情報を探し出す手間を省くことができます。ただしあくまでも情報を参照するためなので丸ごとコピーして盗用するようなことは避けなければなりません。

またこのツールは文書を要約してくれるのですが、とりあえずツールに入れる要約なので完全に合っているとはいえません。下書きには使えますが、最終的には自分できちんと確認する必要があります。ただその書籍や論文のその箇所を読むべきかどうか大まかな判断に使うことは可能です。

さらにこのツールがすごく重宝するのは、引用にメモをつけることができるのです。これは文章を大量に読み込まなければならない人にはすごく便利です。

AIで優れた論文を探す

●「Scite.ai」（https://scite.ai）
このツールも相当便利なもので、特に理系の研究者には役に立つでしょう。科学技術論文などから必要な箇所を抜き出し、概要、研究方法、結果などを要約して検出してくれます。

●「consensus」（https://consensus.app）
このツールはさまざまなところから論文を探してくれるものです。探索してきた論文の引用数や、検索に使用した単語や文章などが該当する部分を要約し提示してくれます。たいへん見やすいので使いやすいです。

ＡＩをアイデア出しに使う

ＡＩは自分では考えつかないようなアイデアや情報をさまざまなところから引っ張ってきてくれるツールとしてもたいへん便利です。

いま話題のChatGPTは世間一般に広がっている知識からいろいろなものを探してくれるので、ちょっとしたアイデアを探索するのに便利です。

たとえば次のような生活の知恵や、何かアイデアを拝借したいなと思うことを次々と質問してください。新しい情報を知ることができます。

・小学生向け誕生日パーティのアイデアを出して？
・中年サラリーマンが活躍して億万長者になるお話を考えて？
・Bon Joviの自伝の構成を考えて？
・バーベキューパーティのショッピングリストを探して？
・秋らしい色にはどんなものがあるか？

・美味しいおにぎりの具材は何か？
・飲み会に向いているゲームは何か？
・バレンタインデーに人気のあるケーキのレシピは？
・窓ガラスをきれいに保つ方法は？

こういったカジュアルな生活のアイデアのほか、ブレインストーミングにＡＩを使うのがよいでしょう。ただしChatGPTはかなり専門性が高い知識はあまりインプットされていないようです。たとえば経済政策や法律に関する質問に対しては間違った回答が出てくることが少なくありません。これは時事問題に関しても同じです。だから私は自分の著作を書く際にChatGPTを使うことはないです。

「Elicit」（https://elicit.com）は研究論文や記事などのブレインストーミングをするのにたいへん便利なツールです。専門性が高いものを書く場合はこういったツールを使うのがよいでしょう。

AIで文章を要約する

AIの強みのひとつは、さまざまな文章を要約することです。単純な文章が少なくない研究論文や、大まかな構成が決まっているニュースなどは要約しやすい文章のひとつです。大量の情報を読まなければならない場合などに便利です。

ChatGPTは要約にも便利ですが、そのほかにもツールがあります。

たとえば「QuillBot」(https://quillbot.com)はChatGPTよりもさらにプロフェッショナルな要約をすることができます。また文章の内容を言い換えるというパラフレージングも可能です。

AIで評価を自動化する

次に「gradescope」(https://www.gradescope.com)は、情報収集するAIとは少し異なるのですが、たいへん興味深いものです。生徒や職場での研修など参加者が送ってくる答案をスキャンし、AIで自動的に採点してフィードバックするものです。これがユニークなのは手書きの答案でも大まかに判断をしてくれるところです。

送られてくる回答も、先に成績別の雛形を入れておいてAIで選択し採点をすることができるので時間を節約することができます。

さらにグループワークや宿題とか試験なども作成することができるので、学校の先生だけでなく会社でトレーニングを実施する方にもすごく便利です。

AIで最善な情報をアウトプットする

情報ソースを読み込んで他の人とのインタラクション（相互作用）によって得られる情報はもっと深いものになります。その際に海外の情報を知りたかったり、海外の掲示板やコメントセクションに自分の質問を投稿したりして何か聞いてみたいという方もいることでしょう。その場合、英語はネックになってしまうこともありますが、AIツールを使えばその問題を解決することができます。

たとえば「Jasper」（https://www.jasper.ai）を使うとインフォーマルからフォーマルまで、さまざまな形式で英語の文章を自動作成してくれます。フォーマルな文章を読むと若干くだけたものが多く長文は得意ではないですが、簡単な質問をするのにはかなり使えます。いろんな情報を使って自分で発信するのも大いに勉強になります。

その際に厄介なのはコンテンツを書くことです。特にブログやＳＮＳは他人の目に留まるようなコピーにしないと多くの人が読んでくれません。その際にＡＩのツールを使ってコピーを書けば、人目を引く題名や記事の目次を書くことができます。

そのツールは英語圏のものが多く、思い切って英語圏の人が読むような投稿をするのもいいでしょう。それには「Copy.ai」（https://www.copy.ai）がおすすめです。

ＡＩの翻訳能力を使いこなす

ＡＩは翻訳能力がたいへん優れています。もともと自然言語解析をするためのソフトウェアなので、さまざまな言語をほかの言語に対応させる際、どういった文章や単語になるかを長年蓄積してきたツールです。したがってＡＩに翻訳をさせると、いままでの翻訳ツールよりもはるかに精度の高いものが出力されます。

もっとも知名度があるChatGPTはさまざまな言語に対応しており、英語から日本語、日本語から英語の翻訳もかなり容易です。場合によってはGoogleの翻訳より精度が高いケースが出てきます。ただし社内にある一定のポリシーがあるらしく、アダルトなコンテンツや犯罪に関わるようなことは翻訳することができません。

そしてまた、なぜか特定の政治に関することも翻訳できないことがあります。そこはかなり注意が必要です。とはいえ、ほとんどのニュース記事やビジネスに関することは簡単に翻訳することが可能です。

ただし、ここで注意していただきたい点があります。

それは何かというと、社外に持ち出してはいけないような文章は絶対に入力してはいけないことです。というのもコンテンツは外部に流出してしまう可能性があるので、一般の人が読んでも問題ないものだけにしておいてください。

ＡＩで生成した情報なのかを見抜く

ＡＩが頻繁に使われる時代では、ＡＩで生成されたコンテンツやフェイクニュース、ディープフェイクなどを見抜く能力も身につけることが重要になってきます。

ＡＩから生まれたコンテンツを見抜くのはかなり難しいのですが、いくつか使えるツールがあります。

たとえば「Hugging Face」（https://huggingface.co）はＡＩコミュニティを提供するツールです。

またプリンストン大学の卒業生が作成した「GPTZero」（https://gptzero.me）というＡＩも文章を見分けるツールがあります。

ＡＩを活用し仕事を効率化しよう！

このようにＡＩは情報収集において、さまざまな作業が効率化できます。そのほかにもスケジューリング、顧客対応、チャットボットの作成、シミュレーション、ちょっとした画像や動画の作成など、いろいろな分野で活用することが可能です。

日本の職場では得てして手動で何かをする文化があるのですが、AIを活用しできる限り手作業を自動化して、浮いた時間をほかの創造的な活動に使うべきです。

どちらかというとAI先進国のアメリカやイギリスでも実際に使用されているAIはさまざまな事務作業を自動化するようなものが多くなっています。それは既存の業務にAIツールを付け足すような感じです。人間の仕事を完全に奪ってしまうようなレベルにまで、いまの段階では育っていません。

現在は英語圏で使えるものが物理的に途絶えてしまい、日本へ入りにくくなっているのです。とはいえ日本でもいろいろなAIが出てきていますので、じっくりと調査をして業務に活用できるものを探してみてください。

おわりに

『世界のニュースを日本人は何も知らない』の第5弾、いかがでしたでしょうか。

私がまだこのシリーズを書き続ける理由は、みなさんに海外の実態を知っていただき、日本のすばらしさや良い点を再認識していただくことです。

日本にはまだまだ多くの強みがあり、恵まれている国です。経済環境が厳しくなってきてはおりますが、それでもみなさん落ち込むことなく日本人であることに大いなる誇りを抱き、日々ご家族や地域のためにもがんばってみてください。

2020年からのコロナ禍ですっかり姿を消した外国人観光客も徐々に戻りつつあります。いまこそ日本の素晴らしい部分を海外の人々に知っていただくチャンスです。

また投資や資産形成をなさっている方にとって海外の実態を正しく把握することはたいへん大切です。株価や不動産価格、モノの売れ行きは社会の情勢に左右されます。日本のメディアが垂れ流す「美しい海外」の情報だけを取り入れていたら「やっぱり我が社の製品は売れないよなぁ」とか、「なんで海外の会社は契約書の記載事項を守ってくれないのかな？　いったいどういう文化なんだろう？」ということになってしまいます。

海外の本当の社会情勢やその国の文化や習慣を知らないと、われわれは日々の暮らしで困ってしまうこともこれからはたくさん出てくると思われます。その際、海外における真の姿を知っていただくという目的で、この本は日本のみなさんがご自分とご家族を守るためのガイドブックにもなります。

どうか周囲の方々にも、あなたがこの本をお読みになって知り得た情報をお話しになり、世界をちょっと異なった視点で眺めてみてください。

そしてまた、ほんのわずかな気づきがあなたのキャリア形成やビジネスの大きな転換になる可能性も秘めています。そうなることを陰ながらお祈りしております。

谷本　真由美

谷本真由美（たにもと まゆみ）

著述家。元国連職員。

1975年、神奈川県生まれ。

シラキュース大学大学院にて国際関係論および情報管理学修士を取得。

ITベンチャー、コンサルティングファーム、国連専門機関、
外資系金融会社を経て、現在はロンドン在住。

日本、イギリス、アメリカ、イタリアなど世界各国での就労経験がある。

X（旧Twitter）上では、「May_Roma」（めいろま）として舌鋒鋭いポストで好評を博する。

趣味はハードロック/ヘビーメタル鑑賞、漫画、料理。

著書に『キャリアポルノは人生の無駄だ』（朝日新聞出版）、

『日本人の働き方の9割がヤバい件について』（PHP研究所）、

『不寛容社会』（ワニブックスPLUS新書）、

『激安ニッポン』（マガジンハウス新書）など多数。

世界のニュースを
日本人は何も知らない5

著者　谷本真由美

2023年12月25日　初版発行
2024年2月20日　3版発行

発行者　横内正昭
発行所　株式会社ワニブックス
〒150-8482
東京都渋谷区恵比寿4-4-9えびす大黒ビル
ワニブックスHP　http://www.wani.co.jp/
（お問い合わせはメールで受け付けております。
HPより「お問い合わせ」へお進みください）
※内容によりましてはお答えできない場合がございます

装丁　小口翔平＋後藤司（tobufune）
フォーマット　橘田浩志（アティック）
編集協力　山田泰造（コンセプト21）
校正　玄冬書林
編集　内田克弥（ワニブックス）

印刷所　TOPPAN株式会社
DTP　株式会社 三協美術
製本所　ナショナル製本

ISBN 978-4-8470-6699-3
WANI BOOKOUT　http://www.wanibookout.com/
WANI BOOKS NewsCrunch　https://wanibooks-newscrunch.com/